L'orteil de Paros

enigmae.com

L'orteil de Paros

Anne Bernard-Lenoir

la courte échelle

Les éditions de la courte échelle inc.
160, rue Saint-Viateur Est, bureau 404
Montréal (Québec) H2T 1A8
www.courteechelle.com

Révision :
Leïla Turki

Conception graphique de l'intérieur :
L'atelier Lineski

Dépôt légal, 1er trimestre 2011
Bibliothèque nationale du Québec

La courte échelle reconnaît l'aide financière du gouvernement du Canada par l'entremise du Fonds du livre du Canada pour ses activités d'édition. La courte échelle est aussi inscrite au programme de subvention globale du Conseil des Arts du Canada et reçoit l'appui du gouvernement du Québec par l'intermédiaire de la SODEC.

La courte échelle bénéficie également du Programme de crédit d'impôt pour l'édition de livres — Gestion SODEC — du gouvernement du Québec.

Catalogage avant publication de Bibliothèque et Archives nationales du Québec et Bibliothèque et Archives Canada

Bernard Lenoir, Anne

      Enigmae.com

      Sommaire : 3. L'orteil de Paros.
      Pour les jeunes de 10 ans et plus.

      ISBN 978-2-89651-433-5 (v. 3)

      I. Titre. II. Titre : L'orteil de Paros.

PS8603.E72E54 2010   jC843'.6   C2010-940600-1
PS9603.E72E54 2010

Imprimé au Canada

ANNE BERNARD-LENOIR

Née en France, Anne Bernard-Lenoir vit au Québec depuis 1989. Diplômée en géographie, elle obtient en 1991 une maîtrise en urbanisme de l'Université de Montréal. Elle se passionne pour les voyages, et ses créations s'inspirent de ses parcours géographiques, de la nature, de l'histoire, des sciences, du mystère et de l'aventure.

« Le moins que l'on puisse demander à une sculpture, c'est qu'elle ne bouge pas. »

SALVADOR DALI (1904-1989), peintre et sculpteur catalan

On marquait de points de repère les blocs de roche, avant de procéder à leur dégrossissage. La taille dégageait une énorme quantité de poussière, obligeant maître et tailleurs à protéger leurs visages avec des mouchoirs. La technique d'ébauchage consistait à employer une masse avec laquelle on percutait une pointe. Les coups s'appliquaient avec franchise, perpendiculairement à la surface, sans trop de puissance, car il était facile de s'épuiser à la tâche. La pointe pénétrait dans la matière, fendillant le marbre sur quelques centimètres de profondeur en provoquant le détachement de gros éclats. Puis, on façonnait la forme avec d'autres masses, d'autres pointes et des ciseaux de sculpteur, jusqu'aux étapes de finition, dont le polissage constituait l'apogée. Le travail ne nécessitait pas de nombreux outils, mais une force physique considérable.

Le marbre de Paros était le plus translucide des marbres connus des maîtres. Son grain était d'une finesse inouïe, son blanc, d'une pureté sans pareille. De cette sublime matière étaient nées les trois déesses. Plus grandes que nature, elles se tenaient debout. Leurs cheveux formaient un chignon maintenu par un bandeau, dont plusieurs mèches s'échappaient et tombaient sur la nuque. Le haut de leur corps était dénudé, et le bas, revêtu d'une draperie roulée avec art autour des hanches. Leurs pieds dépassaient de l'ourlet de leur himation. Les bras et les mains de ces Vénus étaient à la fois musclés et ronds, et leur buste, d'une grâce émouvante.

— C'est bien, murmura le maître, qui vérifiait la finition des blocs constituant les trois chefs-d'œuvre. N'oubliez jamais que c'est de la rencontre entre la masse et l'espace que naît la sculpture. Ce qui importe le plus, c'est le vide autour de la forme.

Un tailleur soupira d'aise. Il vouait une vive admiration au vieux maître, même si celui-ci avait tendance à ressasser ses enseignements et ses bonnes formules. Il se sentait fier d'avoir été choisi pour travailler à ses côtés, dans cet atelier de marbre qui regroupait certains des plus grands artistes des Cyclades.

La pierre avait été lissée à la perfection. La lumière semblait vibrer à sa surface, accentuant l'effet tridimensionnel des statues. Il ne restait qu'à préparer les déesses pour leur voyage vers Mélos.

1 . . . . **UNE EXPOSITION PASSIONNANTE**

En ce samedi matin de février, alors qu'une tempête de neige soufflait avec rage dans les rues de Québec, Diane avait proposé à Félix et à Léo d'aller visiter une exposition sur les sciences de la nature présentée au Musée de la civilisation. Ils avaient accepté par curiosité. Il ne restait que quelques jours avant la fin de l'exposition. Partis tôt de leur maison du quartier de Limoilou afin d'éviter la file d'attente à la billetterie, ils avaient affronté les intempéries et franchi à dix heures les portes de l'édifice moderne, aussi magnifique qu'imposant, situé face aux quais du port de Québec.

De nombreux enfants accompagnés de leurs parents commencèrent leur visite en même temps qu'eux. Diane suivait Félix et Léo, qui repérèrent vite les flèches vertes tracées sur le sol et indiquant l'itinéraire de l'exposition. Celle-ci occupait une succession de salles aux couleurs de la nature.

— Cette exposition est pour les bébés! déclara Félix en apercevant les premières thématiques abordées.

Un panneau invitait les jeunes explorateurs à comprendre, de façon amusante, la faune et la flore du Québec. Des jeux et des installations interactives leur permettaient de s'aventurer à la découverte de l'érable, de la neige, de la glace, du vent, de la pluie... Une autre pièce proposait de réfléchir sur les animaux et leur habitat : une hutte en bois avait été bâtie au cœur d'un bassin pour imiter une rivière et un barrage de castors ; une tanière d'ours occupait un coin sombre. Léo prit place sur un minisiège vert pomme, face à une grenouille en bois géante qu'on pouvait désarticuler, et manipula les morceaux de ce casse-tête enfantin.

— Super ! lança-t-il sans conviction.

— C'est quoi, cette exposition ? s'impatienta Félix en regardant Diane à travers ses petites lunettes rondes.

— Ce ne sont que les premières salles, répondit-elle. Je suis certaine que la suite sera captivante et que vous apprendrez des tas des choses !

Diane quitta les lieux d'un pas vif pour devancer Félix et Léo, et découvrir avant eux ce que la pièce suivante cachait. Comme d'habitude, elle avait maquillé ses yeux bleus et remonté ses cheveux blonds en chignon. Ce qu'elle vit ne la rassura pas le moins du monde : un long couloir brun, semblable à un terrier, conviait les jeunes à vivre une « Aventure avec le renard roux » !

— Mamie, est-ce que tu aurais oublié notre âge, par hasard ? lui demanda Léo, qui la rejoignait en grimaçant.

— Bien sûr que non, fit-elle, penaude. Mais j'étais sûre que...

— … peux-tu nous montrer le dépliant, s'il te plaît? coupa Félix.

Diane lui remit la mince brochure qu'on leur avait donnée avec leurs billets, à l'entrée du musée.

— *Les sciences de la nature expliquées aux enfants,* lut-il. *Pour faire découvrir aux jeunes de trois à huit ans les différents aspects de la nature et des sciences, à travers un parcours riche d'expériences et de jeux.*

— Pour les jeunes de trois à huit ans! répéta Léo, moqueur. On va nous apprendre que le serpent est un animal à sang froid, et le pingouin, un oiseau de mer!

— C'est débile, lâcha Félix. Quand je pense au contenu de notre site *ENIGMAE* et aux sujets scientifiques qu'on y aborde... Il me semble que des enfants de huit ans le trouveraient pas mal plus intéressant que cette exposition!

— Tu as raison, acquiesça Léo. Ce n'est pas comparable...

— Je suis désolée, soupira Diane.

Personne n'était mieux placé qu'elle pour connaître les talents scientifiques de Félix et de Léo. Pour des garçons âgés de treize et douze ans, ils étaient curieux, savants et perspicaces. Le site Internet qu'ils avaient construit avec l'aide technique de Max, leur grand-père, en était une preuve éloquente. Consacré aux énigmes, aux scandales et aux découvertes insolites du monde de la science et de l'histoire, *ENIGMAE* regroupait un nombre impressionnant d'informations de toutes sortes: archives, mystères, devinettes et anecdotes sérieuses ou amusantes.

— Je suis désolée, répéta-t-elle. Si j'avais lu correctement les publicités, je me serais aperçue que vous étiez trop vieux pour apprécier cette exposition.

— Ce n'est pas grave du tout, la rassura Léo en s'éloignant.

— Je comprends mieux pourquoi notre prof de sciences ne nous y a pas emmenés avec la classe, déclara Félix.

Léo traversa les dernières salles à la vitesse de l'éclair. Après avoir caressé quelques minutes une peau de vison accrochée dans un coin destiné aux tout-petits, Félix le rejoignit au bout de l'enfilade de couloirs verts ou bruns menant au hall du musée. C'était un vaste espace lumineux en pierre et en verre au cœur duquel se déployait une sculpture. Une chaloupe du XVIIIe siècle, découverte lors de fouilles archéologiques, et des escaliers monumentaux donnaient à l'ensemble une allure solennelle.

Félix trouva Léo en pleine contemplation d'un panneau indiquant l'ouverture d'une nouvelle exposition le jour même.

— *Les marbres de l'Antiquité,* lut Félix en ajustant ses lunettes sur le bout de son nez.

— Ça doit être super, non ?

Léo se retourna vers Diane, qui revenait des toilettes.

— Est-ce que notre billet nous permet de visiter ça, mamie ? s'enquit-il en lui montrant l'affiche.

Diane y jeta un rapide coup d'œil et parut ravie.

— Bien sûr, fit-elle avec entrain. Allons-y !

Ils se dirigèrent vers l'autre côté du hall et présentèrent leurs billets au contrôleur. L'exposition n'était pas très grande. Deux salles communiquaient par une structure imitant le portique d'un temple ancien, et des tentures grenat décoraient tous les murs. La première pièce était consacrée à la géologie : on y apprenait la formation des marbres et leurs différentes sortes. La seconde, plus vaste, présentait des antiquités grecques et romaines : des sculptures et des objets de marbre de tailles diverses. Un gardien vêtu d'un uniforme bleu marine patrouillait d'une salle à l'autre, l'air sévère.

Tandis que Diane filait à la seconde pièce pour admirer les statues, Félix et Léo s'intéressèrent à de longues explications affichées près de socles sur lesquels étaient disposés des morceaux de marbre aux couleurs variées provenant de Grèce, d'Égypte, d'Italie, de France et d'Espagne. Une dizaine de visiteurs déambulaient dans les lieux.

— C'est débile, lâcha Félix après avoir lu le texte détaillé. Savais-tu que le marbre était une roche fragile ?

— Non, marmonna Léo, qui examinait un bloc rose et vert. Je croyais que c'était super-solide et que c'était pour cette raison qu'on l'utilisait pour bâtir des palais, des colonnes, des monuments, des tombeaux ou des affaires de ce genre. Les stèles funéraires dans les cimetières sont souvent en marbre, non ?

— Oui, répondit Félix. Sauf que...

— ... s'il vous plaît, souffla-t-on juste derrière eux.

Félix et Léo se retournèrent. Le gardien les fixait, un doigt sur la bouche, pour leur signifier de parler moins fort.

— Pardon, bredouilla Félix.

Le gardien s'éloigna. Léo jeta un coup d'œil au panneau que Félix venait de lire avec enthousiasme, puis il s'approcha d'un autre échantillon de pierre, d'un vert étonnant.

— En fait, reprit Félix à voix basse, les marbres sont des roches calcaires. Une pointe d'acier suffit à les rayer. Ce n'est pas comme le granit et le quartz, qui sont difficiles à érafler. Si tu veux que ta sépulture dure l'éternité, tu as intérêt à la construire en granit !

— Si ces roches ne sont pas plus solides que ça, comment expliques-tu que les archéologues aient retrouvé plein de trucs en marbre qui datent de milliers d'années ?

— C'est dans les pays chauds qu'ils ont découvert des vestiges antiques en marbre, pas dans les pays froids, répondit Félix. Ces roches ont tendance à se désagréger dans les climats frais et humides, ou en montagne.

— Venez voir ! chuchota Diane, qui s'était approchée d'eux, les yeux brillants. J'ai trouvé quelque chose qui va vous intéresser !

Intrigués, Félix et Léo quittèrent la section géologique pour suivre Diane, qui retraversait à la hâte les deux salles de l'exposition dont ils n'avaient presque rien vu. Elle se planta près de la sortie, où une petite table couverte d'une nappe grenat avait été installée. L'air ravi, elle leur montra une affiche aux couleurs du drapeau italien — vert, blanc et rouge —, sur laquelle on pouvait lire *Vive l'Italie !* avec le concours *« Les marbres de l'Antiquité »*.

Une jolie caissette posée sur la table et imitant un bloc de marbre proposait des bulletins de participation. Diane s'était déjà emparée d'un exemplaire du document, qui comprenait plusieurs feuillets, et elle le tendit à Félix. Léo s'approcha pour en découvrir le contenu en même temps que lui.

Vive l'Italie ! avec le concours
« Les marbres de l'Antiquité »

Participez au concours « Les marbres de l'Antiquité » et courez la chance de gagner un voyage à Rome pour 4 personnes, incluant :

- Les billets d'avion, en classe économique, en partance de Montréal

- L'hébergement pendant 7 nuits à Rome, dans un hôtel trois étoiles situé dans le quartier du Forum romain et du Colisée

- Les petits-déjeuners

- Les billets pour 6 visites au choix (musées, monuments, jardins)

- Les billets pour l'Archéobus

- Une excursion à Ostie (le port antique de Rome)

- 3 000 $ d'argent de poche

- Les taxes d'aéroport

Valeur totale approximative du prix : 11 000 $

Pour participer, remplissez le bulletin de participation (disponible à l'exposition «Les marbres de l'Antiquité»), répondez correctement aux 6 énigmes portant sur le marbre et envoyez votre bulletin à l'adresse du concours. Le gagnant sera le premier participant à avoir envoyé un bulletin incluant les bonnes réponses aux 6 énigmes, le cachet de la poste en faisant foi.

Règlements: pour être valide, le bulletin de participation doit avoir été posté à l'adresse du concours au plus tard à la date de fermeture de l'exposition. Une seule participation par adresse postale est acceptée. Aucun fac-similé du bulletin de participation au concours ne sera accepté. Les participants doivent être des citoyens canadiens, résider au Canada et avoir atteint l'âge de la majorité dans leur province ou dans leur territoire de résidence en date de leur participation au concours. Pour consulter le détail des règlements du concours, visitez le site du musée.

Six énigmes sur le marbre, à résoudre...

ÉNIGME N° 1

Complétez la phrase suivante: «Pour qu'un calcaire se transforme en marbre, il doit être placé dans des conditions de _____ et de _____, atteintes seulement au cours de la formation des _____. »

ÉNIGME N° 2

B

A

Quelle méthode (simple et très pénible) les hommes préhistoriques utilisaient-ils pour soulever ce bloc de marbre
de plus d'une tonne du point A au point B?

Votre réponse : _____

_____

ÉNIGME N° 3

Identifiez ce marbre utilisé pendant l'Antiquité
(voir photographie) en précisant :

1- Son nom : _____

2- La localisation de sa carrière : _____

ÉNIGME N° 4

Qui a été le premier à avoir mis des colonnes de marbre
étranger au cœur du Palatin ?

Votre réponse : _____

ÉNIGME N° 5

Quelle partie d'un aliment qu'on mange souvent le matin
a la même composition chimique (à 94 %) que le marbre ?

Votre réponse : _____

ÉNIGME N°6

Quel monument italien se cache derrière la phrase suivante : « Ce pied ne laisse pas assez de place aux voitures. » ?

Votre réponse : _____

Bonne chance à tous et à toutes !

2 . . . . LE CONCOURS

Diane attendit quelques minutes pour laisser à Félix et à Léo le temps de finir leur lecture. Elle fut incapable de retenir davantage son enthousiasme.

— Vous devez participer à ce concours! déclara-t-elle en tâchant de parler à voix basse.

— Six énigmes, fit Léo. C'est super!

— Ça alors! murmura Félix. «Qui a été le premier à avoir mis des colonnes de marbre étranger au cœur du Palatin?» Le Palatin... c'est quoi, ce machin? On dirait un nom de gâteau rempli de crème!

— C'est l'une des collines de Rome, dit Diane. Le mont Palatin, je crois.

— C'est génial comme concours, ajouta Léo, dont les yeux noirs brillaient plus que de coutume. Le prix est super, et j'adore les questions! Pour ce qui est du soulève-ment du bloc de marbre, je suis sûr qu'on utilisait la même méthode que celle qui était choisie par les Égyptiens pour construire leurs pyramides!

— C'est une idée à explorer, approuva Félix. Elle peut nous donner des indices pour trouver la solution.

— Vous êtes les rois des énigmes! s'exclama Diane. Ce concours est pour vous. Je vous aiderai, et Max aussi. On s'y mettra tous ensemble. Vous rendez-vous compte qu'on pourrait gagner un voyage en Italie et partir tous les quatre pour Rome?

Félix la regarda avec un drôle de sourire.

— Il ne faut pas trop rêver, mamie, murmura-t-il. Pour gagner, on ne doit pas seulement répondre correctement aux énigmes, on doit aussi être les premiers à envoyer les bonnes réponses. C'est complètement débile, on n'y arrivera pas.

— Ce n'est pas *débile,* comme tu dis, et nous pouvons y arriver, rétorqua Diane d'un air têtu. Une chose est sûre: le temps est compté. Cette exposition sur les marbres de l'Antiquité ouvre ses portes aujourd'hui, il ne nous est donc pas impossible de figurer parmi les premiers participants.

— En plus, ajouta Léo, dans les règlements du concours, c'est marqué: *une seule participation par adresse postale est acceptée.* Ce qui signifie qu'on ne peut pas envoyer plusieurs bulletins de participation. On n'a pas droit à l'erreur.

— Oups! fit Diane. Je n'avais pas lu ça...

— Ce n'est pas grave, on peut toujours essayer, conclut Léo. Qu'est-ce que tu en penses, Félix?

— Je suis d'accord, répondit celui-ci avec entrain. On n'a rien à perdre, de toute façon. Les énigmes sont super-intéressantes, et je pense qu'on pourra se débrouiller pour résoudre assez vite certaines d'entre elles!

Radieuse, Diane plongea une main dans la caissette où s'empilaient les documents de participation. Elle prit cinq bulletins, en donna un à Léo, en garda un pour elle et glissa les derniers dans son sac.

— Vous ne pouvez participer au concours qu'une seule fois, précisa le gardien, qui s'était approché d'eux après avoir remarqué les micmacs peu discrets de Diane près de la boîte. Une seule participation par famille; c'est indiqué dans les règlements.

— Oui, bredouilla-t-elle, le visage empourpré. Je le sais, merci. Si je me suis permis de prendre plusieurs documents, c'est parce que, si nous nous trompons en notant nos réponses, il nous faudra un autre bulletin pour les recopier au propre.

— Ah, c'est pour ça? répliqua-t-il, incrédule.

Sur ce, il s'éloigna en direction d'un garçonnet qui faisait le pitre près d'une statue.

Léo avait suivi avec intérêt l'échange entre Diane et le gardien, le visage fendu d'un large sourire. Quant à Félix, il s'était replongé dans la lecture des six énigmes.

— Les réponses se trouvent peut-être dans l'exposition, déclara-t-il.

— Bien sûr! s'enthousiasma Léo. Tu as raison. Ils font souvent ça, dans les musées. Ils posent des questions, et les réponses sont sur les panneaux.

— Il est donc temps de recommencer notre visite depuis le début, conclut Félix.

3 . . . . TROP FACILE!

Félix se dirigea vers la première salle consacrée à la géologie, suivi de Léo et de Diane. Ils se postèrent un long moment devant un tableau décrivant une trentaine de types de marbres illustrés par des photographies.

— Celui qu'on est censé reconnaître pour résoudre la troisième énigme ne ressemble à aucun de ceux-là, soupira enfin Félix.

— Pourtant, il y en a, des roches, dans cette liste! s'exclama Diane. Griotte de Campan rouge, Rouge du Languedoc, Petit Antique, Grand Antique, Arabescato, Skyros, Carrare blanc veiné, Paros, Vert antique de Grèce, Brèche verte d'Égypte, Brèche grise de Lez... Quels noms poétiques!

— Ces marbres ont été utilisés durant l'Antiquité. Aujourd'hui, certaines carrières sont fermées, alors que d'autres sont toujours en activité, précisa Léo, qui s'intéressait à un texte en particulier.

— Je vais voir plus loin, les prévint Diane en s'écartant. L'exposition nous renseigne peut-être sur la façon dont on transportait les blocs.

Léo semblait plongé dans ses pensées, debout devant le panneau qui expliquait, graphiques à l'appui, la formation géologique de ces roches métamorphiques. Il rouvrit un bulletin de participation, vérifia l'énoncé d'une question et parut soudain nerveux.

— Regarde, Félix! dit-il en pointant un doigt vers un texte affiché sur un mur. C'est écrit ici que *les marbres sont des calcaires qui ont été transformés au moment de la formation des montagnes, et que température et pression sont les conditions nécessaires à la transformation des roches calcaires en marbres.*

Fébrile, Félix tourna les feuilles du document pour retrouver le texte exact des questions.

— Température et pression, répéta-t-il au comble de l'excitation. C'est trop facile! T'es génial, Léo! Tu viens de résoudre la première énigme! *Pour qu'un calcaire se transforme en marbre, il doit être placé dans des conditions de* TEMPÉRATURE *et de* PRESSION *atteintes seulement au cours de la formation des* MONTAGNES. Pas mal, non?

— Super! renchérit Léo. C'était écrit noir sur blanc. Tu imagines si toutes les réponses aux questions se trouvent sur les panneaux de l'expo?

— C'est débile! s'esclaffa Félix. Si on poste notre bulletin cet après-midi, il a des chances d'arriver parmi les premiers. Mamie va pouvoir préparer ses bagages pour Rome!

— On dirait que ce concours n'intéresse personne, remarqua Léo.

Il invita Félix à jeter un coup d'œil autour d'eux. Quelques familles déambulaient dans les deux salles sans enthousiasme. Un couple semblait en grande conversation devant une statue grecque, tandis qu'une fille et sa mère s'apprêtaient à quitter les lieux. La fille s'arrêta devant l'affiche du concours. Sa mère s'empara d'un bulletin de participation et le parcourut des yeux, avant de le ranger avec précaution au fond de son sac à main. Léo se tourna vers Félix, dont on percevait les sourcils froncés sous la longue frange.

— Bon ! lâcha-t-il, anxieux. Il ne faudrait pas trop traîner, parce qu'il nous reste cinq énigmes à résoudre.

Diane revenait vers eux, l'air piteux.

— As-tu un stylo, s'il te plaît ? lui demanda Félix.

— Oui, répondit-elle en lui en tendant un.

— Léo a trouvé les trois mots qui manquaient dans la phrase de la première énigme, annonça Félix en les écrivant dans les espaces prévus à cette fin sur son bulletin de participation.

— C'est formidable, s'exclama Diane, stupéfaite. Moi, je n'ai rien trouvé ! C'est plutôt décourageant.

— Zut, laissa tomber Léo, déçu.

— Ne vous en faites pas, on va tout réexaminer en détail, les rassura Félix.

— Je suis fatiguée d'être debout depuis si longtemps, confia Diane. Est-ce que cela vous dérange si je vous attends à l'extérieur, à la sortie de cette exposition ?

— Pas de problème, répondit Félix.

— Je vais acheter le journal du samedi et m'installer sur l'un des bancs du hall. Si vous voulez mon avis, on ne trouvera pas les réponses à nos cinq derniers problèmes ici.

Diane laissa Félix et Léo à leur tâche, qui les passionnait. Plus d'une heure passa. Ils arpentèrent les deux salles. Ils contemplèrent d'abord chaque échantillon de roche exposé dans la première salle. Les marbres étaient d'une variété étonnante. Il y en avait un rose strié de filons blanc et orange, un rouge avec des traces de fossiles et des fragments de coquilles, un blanc translucide d'une pureté extrême, un gris clair marqué de minéraux vert et noir, un violet et blanc qui semblait avoir été concassé, et un noir profond veiné de jaune vif. Aucun ne s'apparentait à celui de la photographie de l'énigme montrant une roche qui était mélangée de noir, de gris clair et de vieux rose, et qui paraissait avoir été brisée à coups de marteau !

L'autre salle présentait trois vitrines aux visiteurs, ainsi que des sculptures — une statue de déesse, deux statues d'homme nu, un monument funéraire, un lion assis, une tête d'homme, une statue dont il manquait la tête, un long relief représentant une bataille, un vase géant — et deux sections de colonnes antiques. Dans les vitrines, on avait exposé une grande mosaïque, des fragments de statue en marbre grec de Paros, et une multitude de menus objets et de figurines en marbre italien de Carrare.

Félix et Léo observèrent chaque œuvre avec minutie, sans trouver aucun indice leur permettant de répondre aux cinq questions qui les tarabustaient. Ils durent se rendre à l'évidence : Diane avait raison en déclarant que l'exposition ne recelait pas toutes les solutions des énigmes du concours.

— J'en ai assez, s'impatienta Léo. Est-ce qu'on sort d'ici ?

— O.K., répondit Félix. On continuera nos recherches à la maison, dans Internet.

4 . . . . LES RECHERCHES

Il était près de quinze heures lorsque Félix, Léo et Diane arrivèrent à la maison. Max finissait de déblayer la neige qui s'était accumulée à une vitesse affolante sur les marches de l'entrée.

Avec sa carrure de joueur de football, ses sourcils fournis, ses yeux d'un noir profond, comme ceux de Léo, et son sourire éclatant, Max semblait tout droit sorti d'un plateau de tournage hollywoodien. Diane prétendait qu'il possédait le charme de son acteur de cinéma préféré, Gregory Peck, un comédien qui avait joué dans de vieux westerns et dans des films policiers en noir et blanc, qu'elle louait de temps en temps. Le compliment était flatteur et ravissait Max.

Max, un ingénieur de formation, dirigeait à présent une petite entreprise d'informatique. Comme Diane, il était toujours de bonne humeur. Depuis la tragédie qui avait emporté leur fils — le père de Félix et de Léo — et la mère des deux garçons, leur vie avait basculé. Dès lors, ils n'avaient poursuivi qu'un seul objectif : tenter d'offrir le plus chaleureux des foyers à leurs petits-enfants. D'après l'atmosphère qui régnait dans la maison la majeure partie du temps, on pouvait dire qu'ils y parvenaient.

— Alors, cette exposition sur la nature ? leur demanda Max en se grattant le front à travers son bonnet couvert de flocons glacés.

— Elle était super ! répondit Léo à la hâte.

— Vous allez me raconter ça, dit-il en accotant sa pelle contre le mur. Finalement, j'aurais dû venir avec vous. J'ai terminé mes travaux informatiques plus tôt que prévu.

Personne ne lui répondit. Félix, Léo et Diane se déchaussèrent et s'empressèrent de se débarrasser de leur manteau et de leurs accessoires d'hiver.

— Vous êtes bien silencieux et énervés ! s'étonna Max en refermant la porte d'entrée derrière lui et en s'apprêtant à ôter ses grosses bottes.

Diane était déjà dans la cuisine lorsque les garçons dévalèrent l'escalier du sous-sol de la maison.

— Que se passe-t-il ? s'enquit Max.

— Si tu veux aller à Rome, tu vas devoir nous aider ! lui lança Diane en sortant des sandwichs du réfrigérateur.

***

Félix et Léo préparèrent les lieux. Le sous-sol de la maison était leur espace. Il comprenait deux petites chambres et une grande pièce centrale éclairée par deux demi-fenêtres où se trouvaient leurs bureaux, leurs ordinateurs, un vieux canapé, une table basse, un gros fauteuil, des chaises et des meubles dépareillés servant à ranger — ou plutôt à entasser! — divers objets et une importante documentation composée de dictionnaires, d'articles de recherche, de graphiques, de photographies, d'encyclopédies défraîchies et de textes de toutes sortes. C'était là, à travers ce fouillis, qu'était né le projet de leur site *ENIGMAE*, issu de leur passion pour les mystères et pour les découvertes insolites, tant historiques que scientifiques.

Diane avait descendu les sandwichs, ainsi que des fruits, des carnets de notes et des stylos, avant de s'installer auprès de Max sur le canapé. Derrière eux, Léo naviguait déjà dans Internet, à la recherche d'indices. Quant à Félix, il s'était assis en tailleur sur le tapis après avoir déposé sur la table basse les documents susceptibles de les aider: une vieille encyclopédie et un livre sur l'art classique qui appartenait à Diane.

— Si je comprends bien, déclara Max après qu'ils lui eurent expliqué ce qui enflammait leur esprit, vous n'avez pas beaucoup de temps pour résoudre ces mystères.

— C'est exactement ça, fit Diane.

— Je ne crois pas aux concours. On ne gagne jamais rien! Il ne faudrait pas être trop déçus, parce que...

— Acceptes-tu de nous aider, oui ou non? le coupa Diane avec une moue d'impatience.

— Oui, bien sûr. Mais je ne sais pas si je peux être très utile.

Max s'empara du bulletin de participation annoté par Félix et le relut.

— Bon, soupira-t-il. Vous avez répondu à la première question. Je pourrais me charger de la deuxième énigme. Cette histoire de soulèvement de bloc m'inspire... Qu'en dites-vous?

— Ce n'est pas nous qui allons te retenir, papy! s'exclama Félix, joyeux.

— Est-ce qu'il ne s'agirait pas du procédé qu'utilisaient les Égyptiens pour déplacer des pierres quand ils bâtissaient les pyramides? avança Léo, qui ne démordait pas de son hypothèse.

— C'est à vérifier, répondit Max.

— Bon, tu t'occupes de la deuxième question, et nous, on s'occupe des autres, récapitula Félix.

— Si vous le souhaitez, après avoir fait le tour des livres que nous possédons à la maison, je peux aller à la bibliothèque pour tâcher de repérer le marbre de la troisième énigme, proposa Diane. Je suis certaine qu'il y a là-bas des ouvrages sur les matériaux de construction.

— Génial, dit Félix. On va numériser la photo pour la mettre sur *ENIGMAE.*

— On a décidé de lancer un appel à tous, expliqua Léo sans quitter des yeux l'écran de son ordinateur. On a déjà préparé notre texte: *Reconnaissez-vous le marbre sur cette photographie? Il a été utilisé pendant l'Antiquité. S.V.P., nous préciser son nom et la localisation de la carrière de laquelle il provient. Merci beaucoup.*

— C'est astucieux ! s'exclama Diane, impressionnée.

— Cela dit, on aura de la chance si quelqu'un nous répond, murmura Félix.

— Bon, je vais me mettre tout de suite à cette histoire de bloc de marbre qui doit être déplacé du point A au point B, dit Max en se levant. Je monte à mon bureau ; j'y serai mieux installé pour faire mes schémas.

— Moi, je vais fouiner dans nos livres, proposa Diane. On ne sait jamais.

— Qu'est-ce qu'on fait, nous ? demanda Léo en se retournant vers Félix, comme s'il doutait de la marche à suivre.

— Euh... bredouilla Félix. On va d'abord s'occuper de lancer l'appel à tous sur *ENIGMAE*. Ensuite, on va se répartir les tâches. Toi, tu chercheras le monument italien pour qu'on puisse résoudre la dernière énigme. Et moi, je m'occuperai du gâteau à la crème, le Palatin. Et, tous les deux, on vérifiera le plus vite possible la composition du marbre. Quand on l'aura trouvée, on dressera la liste des aliments présentant les mêmes éléments chimiques, comme ça on pourra répondre à la question cinq.

— Super ! approuva Léo, radieux.

5. . . . . UN FAIT TROUBLANT

Félix et Léo ne virent pas le temps passer ce samedi-là. Ils ne se levèrent de leur chaise et ne s'éloignèrent de leur écran d'ordinateur que pour remplir leur bouteille d'eau, aller aux toilettes, consulter un livre ou manger une assiettée de pot-au-feu. Diane s'était vite lassée de consulter la documentation inadéquate qu'ils possédaient à la maison. Max avait travaillé à son énigme durant plusieurs heures et griffonné de nombreux croquis sans partager le fruit de ses cogitations. Il paraissait insatisfait. Le début d'un match de hockey opposant Montréal à Boston mit fin à ses travaux. Il tenta en vain de détourner Félix et Léo de leurs occupations sérieuses en leur répétant que la partie était excitante et que la poste était fermée le dimanche. Leur esprit était ailleurs : avec le Palatin, la formule chimique du marbre et autres mystères. De toute façon, leur équipe de hockey favorite était en train de perdre...

Ils trouvèrent la composition chimique du marbre : $CaCO_3$, ou carbonate de calcium. En fait, ils n'étaient pas certains de cette réponse car, dans la documentation, on disait que les marbres contenaient au moins cinquante pour cent de carbonate de calcium et non cent pour cent. Félix et Léo se demandaient encore s'il s'agissait des bons éléments chimiques. Quelle poisse ! Si toutes les questions du concours étaient aussi difficiles, ils n'étaient pas sortis du bois !

Ils apprirent que le carbonate de calcium, très répandu dans la nature, était la composante principale des roches. Ils dressèrent la liste des aliments riches en $CaCO_3$, en la complétant au fur et à mesure que des informations émergeaient de leur documentation. En tête des principales sources de calcium alimentaire figuraient les produits laitiers ; suivaient les amandes, le persil, les figues, le cresson, le cacao, le jaune d'œuf, les épinards... et même le pissenlit ! Nulle part le chiffre magique de quatre-vingt-quatorze pour cent auquel l'énigme du concours faisait allusion n'était précisé. Max vint les saluer avant d'aller se coucher, non sans jeter un œil sur leur liste et se moquer du pissenlit, qu'il n'avait pas envie de manger au petit-déjeuner !

Il était près de minuit quand Félix, presque assoupi devant son écran, parut se réveiller.

— Léo ! cria-t-il. Viens voir !

Ce dernier mit quelques minutes à réagir et à sortir de ses pensées ; il bougonnait devant une page Internet depuis un bon moment. Il fit enfin rouler son siège jusqu'à Félix et se pencha pour découvrir la phrase qui apparaissait au-dessus du pointeur de la souris :

Déjà l'orateur Crassus, celui qui le premier plaça, sur ce même mont Palatin, des colonnes de marbre étranger...

— Comment as-tu fait ? lui demanda Léo, ébahi.

— J'en ai eu assez, alors j'ai tapé les trois mots *colonnes marbre étranger* dans le moteur de recherche. Et je suis tombé dessus, dans un site où il y a des extraits de livres numériques !

— Super !

— C'est tiré d'un ouvrage qui s'appelle *L'histoire naturelle*. Une encyclopédie écrite par Pline l'Ancien, qui est né en 23 après Jésus-Christ et mort en 79. C'était un écrivain et un naturaliste romain important. Quant à Licinius Crassus… attends un peu.

Félix tapa quelques mots sur son clavier.

— C'était un général et homme d'État romain, ajouta-t-il en déchiffrant un autre texte. Il est né à Rome vers 115 avant Jésus-Christ et il est mort en 53. Pourquoi il a mis du marbre étranger sur le mont Palatin, ça, on n'en sait rien.

— On s'en fout ! lança Léo en écrivant le nom du général romain dans le bulletin de participation qui rassemblait leurs réponses. On s'intéressera un autre jour à Pline machin et à Crassus ! L'important, c'est que cette énigme soit résolue. En revanche, il faut que je te montre une affaire bizarre.

— Qu'est-ce que c'est ?

— Une déclaration de vol.

Sur ce, Léo retourna à son ordinateur et imprima une page Internet, qu'il montra à Félix.

Événement: Vol — introduction par effraction chez des particuliers à Édimbourg, en Écosse

Circonstances du vol: Trois individus s'introduisent dans la maison durant la nuit, alors que les propriétaires sont absents. Ils maîtrisent le domestique, forcent le coffre-fort et s'emparent d'une forte somme d'argent liquide, d'un lot de bijoux anciens d'une valeur exceptionnelle et d'une sculpture antique, ainsi que des certificats d'authenticité de ces objets.

Objets volés: Un lot de bijoux anciens, une sculpture antique grecque et leurs certificats d'authenticité

Date de l'événement: Le 19 octobre 1985

Dossier: 1201-86

DESCRIPTION DES OBJETS VOLÉS

Artiste: Maison Boucherin, Paris

Titre: _____

Date: Période Art déco

Type: Bracelet et colliers en forme de rubans souples, incrustés de petits diamants ronds et carrés

Matériau: Argent et diamants

Artiste: Inconnu

Titre: *L'orteil de Paros*

Date: Période hellénistique

Dimensions: 14 cm x 20 cm x 19 cm

Type: Sculpture

Matériau: Marbre grec de Paros

— Mais je reconnais ce truc en marbre! s'exclama Félix, le nez collé sur le papier. Il est exposé au musée! On l'a vu dans la salle des sculptures, dans une des vitrines, parmi plein de morceaux de statue!

— Je le sais bien! répliqua Léo, fébrile. C'est pour ça que je suis resté hypnotisé quand j'ai découvert ce document dans Internet.

— À moins qu'il s'agisse de l'autre pied de la statue, poursuivit Félix en réfléchissant à voix haute. Pourtant, je jurerais que c'est le même!

— Moi aussi!

— On a passé assez de temps à chercher des indices pour le concours et à examiner tous les objets présentés à l'exposition pour être capables de les reconnaître, ajouta

Félix. Je me souviens de cette sculpture toute blanche, posée sur un socle noir.

— Elle est bizarre.

La photographie montrait le pied d'une statue sculpté dans un bloc de marbre de Paros. Il était abîmé, et seul le gros orteil paraissait en parfait état de conservation. Le pied dépassait des plis d'une sorte de tissu, sans doute une toge, sculptée également dans le marbre. La roche était d'une blancheur éclatante, et le modelage de l'orteil, parfait.

— Tu te rends compte que le musée expose un objet volé? fit Léo, hébété.

— Ce n'est pas possible. Ça me paraît débile!

— Alors, pourquoi ce pied en marbre serait-il fiché et inclus dans des dossiers d'œuvres d'art disparues?

— Attends, attends, lâcha Félix, souhaitant calmer les esprits. Il doit y avoir une autre explication. Après tout, il se peut que cette sculpture ait été récupérée depuis son vol en 1985. Le musée l'a peut-être achetée, à moins que son propriétaire écossais l'ait prêtée pour l'exposition.

— Quand une œuvre d'art disparue est retrouvée, c'est marqué *récupérée* en rouge sur la fiche de déclaration de vol, rétorqua Léo.

— La fiche n'est peut-être pas à jour.

— Ce serait une drôle de coïncidence, non?

— Comment as-tu trouvé cette fiche?

— Pour résoudre la dernière énigme du concours, expliqua Léo, j'ai essayé de repérer un monument de marbre en forme de pied. Le moteur de recherche m'a conduit à des images d'antiquités grecques et de fragments de statues, à un site où des œuvres d'art volées sont répertoriées... et à cet orteil! Pied, orteil... Évidemment, il y a un rapport lointain, mais ce truc n'a rien à voir avec notre énigme: il est grec, alors qu'on cherche un monument italien.

— À moins que ce soit un piège du concours. Ce pied est peut-être la réponse à l'énigme. Il faudrait connaître son histoire.

— J'y ai déjà pensé, confia Léo. Mais il n'y a aucune autre information dans Internet à ce sujet. J'ai regardé partout!

— Et sur quel site as-tu trouvé cette fiche de déclaration de vol?

— Sur celui de la police internationale, Interpol. Il est génial. La police tient un registre des objets de valeur et des œuvres d'art qui ont disparu. On peut le consulter en ligne. J'ignorais qu'un tel site existait!

— Tu peux me le montrer?

— Bien sûr!

Ils s'installèrent devant l'écran de Léo. En lisant la page d'accueil, on apprenait qu'Interpol avait pour but de lutter contre la criminalité internationale. Cette police mettait des services à la disposition de ceux dont la mission était de faire appliquer la loi. Elle reliait les polices de cent quatre-vingt-huit pays et créait des sortes de réseaux grâce auxquels les informations circulaient très vite. Il y avait plusieurs sections : sur la drogue, les organisations criminelles, les crimes financiers, les fugitifs, le terrorisme, le trafic d'êtres humains, la corruption, les crimes contre l'humanité, les crimes environnementaux, etc. La section sur les œuvres d'art, qui intéressait Félix et Léo, avait été classée sous la rubrique Crimes de propriété.

Le registre présentait des fiches décrivant les objets volés. Elles étaient toutes bâties comme celle que Léo avait découverte. Parmi les œuvres dérobées figuraient des céramiques, des tableaux, des sculptures, des cloches, des bijoux, des montres, des pièces de monnaie et des médailles, des tapis et des tapisseries, des livres et des pages de recueils, des photographies, des lampes à huile, des objets religieux et même des tombes ! Les objets disparus appartenaient à des particuliers, à des musées, à des institutions gouvernementales ou à des banques. Les fiches se comptaient par centaines.

— C'est complètement débile ! s'exclama Félix.

Il était impressionné. S'il possédait le sens du détail et de l'analyse, Léo, lui, était pourvu d'un don réel pour la recherche. Même si c'est le hasard qui l'avait catapulté sur le site d'Interpol, c'était un fouineur dans l'âme, aussi efficace sur le terrain que dans l'espace virtuel d'Internet.

Les deux garçons réfléchissaient. Plusieurs minutes s'écoulèrent ainsi. La maison des Valois était plongée dans un silence total, mais on pouvait entendre des bourrasques de neige fouetter les fenêtres.

— *L'orteil de Paros*, murmura enfin Félix. Il me semble que la sculpture du musée ne s'appelle pas comme ça.

— Ah bon ? s'étonna Léo. Je ne m'en souviens plus. C'est bizarre qu'elle ne s'intitule pas plutôt *Le pied de Paros*.

— À part le gros orteil, tout le reste semble avoir été grignoté par une souris.

— Une souris qui bouffe du marbre ! s'esclaffa Léo.

— Cette œuvre d'art a donc été subtilisée en Écosse, chez des particuliers, le 19 octobre 1985, répéta Félix, incrédule.

— Tu te rends compte qu'on a peut-être découvert dans le musée de Québec un objet volé en Écosse ?

— Demain, dimanche, le musée sera ouvert, conclut Félix, dont les yeux rougis trahissaient la fatigue. Je propose d'y retourner pour vérifier si *L'orteil de Paros* s'y trouve bel et bien. Après tout, il se peut que quelque chose nous ait échappé.

6 . . . . RETOUR AU MUSÉE

Félix et Léo se réveillèrent tard. Une odeur de pain doré flottait dans la maison baignée de lumière. Dehors, la tempête de neige avait fait place au soleil et à un froid glacial. Ils profitèrent du petit-déjeuner pour faire le point avec Max et Diane, et les informer de leurs dernières trouvailles.

— Je suis très fière de vous, déclara Diane, qui arrosait des plantes pendant qu'ils finissaient leur repas du matin. Bravo pour Licinius Crassus !

— Il reste quatre énigmes à résoudre, ajouta Max avec entrain.

— À propos de notre découverte sur *L'orteil de Paros*... commença Félix. Qu'est-ce que vous en pensez ?

— Franchement, répondit Diane, la photographie qu'il y a dans Internet ressemble beaucoup à l'objet que nous avons vu hier au musée. Je me souviens bien de ce fragment en marbre grec. Il est impressionnant. La pierre paraît transparente.

— D'après toi, est-ce possible que le musée expose une sculpture volée? demanda Léo.

— Non, répondit-elle avec conviction. À mon avis, c'est impossible. Et puis, je vous ai dit que cette œuvre *ressemble beaucoup* à celle qui est montrée dans Internet, mais je me trompe peut-être. Il pourrait s'agir de deux pieds différents.

— C'est pour ça qu'on doit retourner au musée, conclut Félix. Il faut qu'on vérifie cette histoire; elle n'est pas claire.

— Emportez vos téléphones cellulaires et n'oubliez pas les énigmes du concours, leur rappela Diane. Ce sont elles, et non ce fragment de sculpture antique, qui nous conduiront jusqu'à Rome!

— Tous les orteils mènent à Rome, déclama Max sur un ton solennel, alors que Félix et Léo quittaient la cuisine pour préparer leur départ.

***

Le Musée de la civilisation était plus achalandé que la veille. Félix et Léo durent attendre une demi-heure en ligne avant de pouvoir acheter des billets et pénétrer dans les deux salles.

Ils reconnurent le gardien vêtu de son uniforme bleu. Il arpentait les lieux de long en large, en surveillant les familles venues nombreuses ce dimanche-là. Les gens circulaient entre les objets et les blocs de marbre, admirant les roches brutes, les statues majestueuses de la déesse et des hommes nus, le lion assis, les colonnes, le vase géant et la mosaïque magnifiques, les objets sertis de pierres et de marbres colorés, et les marbres blancs de Carrare et de Paros présentés dans les vitrines.

Peu de temps après, Félix et Léo contemplaient enfin la haute vitrine contenant une trentaine de fragments de sculptures et d'objets en marbre grec de Paros. Celle qui exposait du marbre de Carrare était située en face, sur le mur opposé ; elle rassemblait une plus grande variété d'éléments et attirait davantage de visiteurs, dont beaucoup s'extasiaient devant une figurine.

Le marbre de Paros était d'une blancheur éclatante, lisse comme la glace d'une patinoire et presque transparent. Certains objets étaient si menus qu'on aurait pu les tenir entre le pouce et l'index ; d'autres, placés sur des socles, paraissaient plus lourds. Des morceaux de mosaïques et des œuvres incrustées de pierres projetaient d'étonnants reflets colorés. Des visiteurs passaient autour d'eux en commentant leur beauté.

L'objet qui soulevait la curiosité de Félix et de Léo depuis la veille au soir occupait un des angles de la vitrine. Ils s'approchèrent pour mieux examiner le mystérieux pied en marbre grec. Il leur sembla plus resplendissant que dans leur souvenir... Une lumière douce, pareille à celle d'une bougie, paraissait jaillir de cette roche taillée.

Félix fouilla dans la poche de son pantalon et en sortit la photographie de *L'orteil de Paros* que Léo avait trouvée sur le site d'Interpol ; il l'avait agrandie et réimprimée en qualité supérieure.

— Alors, qu'est-ce que tu en dis ? l'interrogea Léo après qu'ils eurent passé plusieurs minutes en silence, à comparer les deux pieds.

Félix, dont les cheveux mi-longs touchaient presque la vitrine, recula de quelques centimètres. L'analyse semblait conforter ses premières hypothèses. Il rajusta ses lunettes rondes sur le bout de son nez et livra ses conclusions :

— Beaucoup de points concordent : les dimensions de la sculpture, qui sont indiquées sur la déclaration de vol, la position du pied, la surface de l'ensemble des orteils, qui a l'air d'avoir été rongée, à part le gros... Les imperfections sont identiques. Regarde, ici, on remarque les mêmes petits trous dans la roche. Et là, tu vois les trois cassures sur le bas du pantalon ou de la toge ou de ce machin d'où sort le pied ? Elles sont exactement pareilles ! Il y a juste la partie inférieure du marbre et l'arrière qu'on ne peut pas comparer, parce que la photo ne nous les montre pas suffisamment. Mais, à part ça...

— Ce n'est pas indiqué que cette sculpture s'appelle *L'orteil de Paros,* releva Léo en examinant l'affichette du musée. Tu avais raison. Il est seulement écrit *Fragment de statue en marbre de Paros datant de la période hellénistique (du IIIe au Ier siècle avant Jésus-Christ).*

— Pourtant, je suis certain qu'il s'agit de la même œuvre !

— Si c'est vrai, ça signifie que ce qu'on a sous les yeux est bel et bien le truc volé en 1985 en Écosse, déclara Léo, incrédule.

— J'ignore ce que ça signifie, mais c'est débile !

Léo allait poser une question lorsque le gardien chargé de surveiller les salles de l'exposition s'approcha.

— Puis-je vous aider ? demanda-t-il d'un air intrigué en indiquant la photographie entre les mains de Félix.

L'allure bougonne de l'homme qui se tenait près d'eux et qui avait le corps boudiné dans son uniforme trop serré était peu engageante. Félix et Léo se dévisagèrent, indécis. Ils ne souhaitaient pas lui dévoiler leur histoire.

— Nous menons une recherche sur cette œuvre pour l'école, expliqua Félix en pointant l'index vers la vitrine.

— Ah ! fit l'homme, rassuré. Avez-vous acheté le catalogue de l'exposition ?

Félix et Léo échangèrent un regard sans comprendre.

— Le catalogue ? répéta Félix. Qu'est-ce que c'est ?

— C'est une brochure dans laquelle les organisateurs de l'événement présentent chaque œuvre, les raisons pour lesquelles ils l'ont choisie, le contexte de sa réalisation, ses qualités artistiques, son histoire, celle de l'artiste qui l'a créée, etc. Vous trouverez sûrement des précisions sur celle qui vous intéresse.

— C'est super ! s'exclama Léo. Et on peut l'acheter au musée ?

— Oui, répondit le gardien. Elle n'était pas disponible avant aujourd'hui. Vous la trouverez à la boutique du musée.

— Merci beaucoup !

— De rien.

Le gardien les quitta pour se rendre à la première salle, où un groupe de visiteurs s'agitait près d'un bloc de marbre noir et jaune.

Par principe, Félix et Léo effectuèrent un dernier tour des lieux. Contrairement à ce qu'ils avaient observé la veille, la majorité des visiteurs s'arrêtaient à la table qui présentait le concours et paraissaient s'y intéresser vivement, ce qui ne manqua pas de les paniquer. Puis, ils se rendirent à la boutique du musée. Ils achetèrent le catalogue de l'exposition et feuilletèrent avec attention tous les livres dont le propos se rapportait de près ou de loin au marbre, mais aussi à l'art grec. À l'exception de quelques ouvrages très techniques, la plupart ne présentaient que des photographies. Il n'était nulle part question de la mystérieuse œuvre *Fragment de statue en marbre de Paros* ni de *L'orteil de Paros.*

7 . . . . LA COLLECTION DUMONT-F

À leur retour à la maison, Félix et Léo trouvèrent Max installé dans le salon. Il était occupé à comparer de mystérieux graphiques, qu'il refusait toujours de commenter. Diane s'était rendue à la vaste bibliothèque Gabrielle-Roy avec le texte des énigmes, mais elle avait fait chou blanc.

Après le souper, Félix et Léo se réinstallèrent à leur bureau de travail, bien décidés à découvrir ce que cachait cette histoire de marbre volé exposé au musée de Québec.

Félix chercha d'abord la définition du mot *hellénistique* dans les dictionnaires qu'ils possédaient à la maison et dans ceux qui étaient accessibles dans Internet, puisque les deux œuvres de Paros y faisaient allusion. Il apprit que c'était une période charnière où l'art de la Grèce classique rejoignait celui de Rome ; on la situait entre le IIIe et le Ier siècle avant Jésus-Christ, de la mort d'Alexandre le Grand au règne d'Auguste. Les centres du monde hellénistique avaient été Pergame, Alexandrie, la Syrie, la Macédoine et la Grèce. On disait que les artistes de cette époque avaient beaucoup innové : ils avaient abordé toute une variété de sujets, et utilisé de nouveaux motifs spirituels et corporels. Les trois qualités essentielles qu'on attribuait à la sculpture hellénistique étaient la variété, la subtilité et la complexité.

Puis, Félix relut en boucle les mêmes phrases, obnubilé par la description plutôt maigre publiée dans le catalogue de l'exposition :

Fragment de statue en marbre de Paros datant de la période hellénistique (du IIIe au Ier siècle avant Jésus-Christ). Marbre provenant des carrières de l'île de Paros, en Grèce. Prêt d'un collectionneur privé, collection Dumont-F, Québec.

— Collection Dumont-F, répéta Félix, songeur.

— As-tu vérifié si le catalogue contient des informations sur les énigmes du concours qu'on n'a pas encore résolues ? lui demanda Léo en se détournant enfin de l'écran de son ordinateur.

— Oui, j'ai tout épluché et je n'ai rien trouvé. Et toi, qu'est-ce que tu fabriques ?

— Je cherche des renseignements à propos de la collection Dumont-F. Il n'y a rien dans Internet, mais je viens d'envoyer un message électronique.

— À qui ?

— À M. Léonard Buisson, répondit Léo en prenant un ton maniéré pour singer quelqu'un d'important.

— Léonard qui ? s'étonna Félix.

— Buisson, comme un buisson !

— Qui est-ce ?

— C'est un expert en art qui travaille à Ottawa.

— Quoi ? Qu'est-ce que tu as fait exactement ?

— J'ai écrit à un gars de l'Institut fédéral d'expertise scientifique des œuvres d'art. J'ai trouvé son adresse sur le site de cet organisme. C'est indiqué qu'on peut écrire aux experts si on a des questions.

— Waow !

Ébahi, Félix fit rouler son siège pour rejoindre Léo, qui se pavanait.

— Et qu'est-ce que tu as raconté à ce bonhomme ?

— Je vais te lire mon message :

Bonjour, je m'appelle Léo Valois. Je suis étudiant et j'habite à Québec. Je m'intéresse aux œuvres d'art et j'aimerais vous poser quelques questions : avez-vous déjà entendu parler de la collection Dumont-F, à Québec ? Si oui, pouvez-vous me donner des renseignements à son sujet, s'il vous plaît ? Par ailleurs, est-ce possible que, dans un musée, on expose une œuvre d'art volée ? C'est pour une recherche personnelle que je dois mener pour mes études. Merci pour vos réponses. Salutations, L. Valois

— Ton message est super, dit Félix, qui le relisait à l'écran.

— Merci. Je ne voulais pas que Léonard Buisson pense que j'accusais le musée d'avoir volé une œuvre ou un truc du genre.

— Tu crois qu'il répond à ce type de questions ? demanda Félix, un peu dépassé par l'audace de son frère.

— Je l'ignore. On verra bien !

Félix retourna à son poste.

— Je continue l'examen des énigmes du concours, lâcha-t-il. À ce propos, j'ai peut-être une idée pour résoudre la cinquième.

— Ah oui ? Laquelle ?

— Pour trouver *quelle partie d'un aliment a la même composition chimique que le marbre,* on devrait procéder à l'envers.

— C'est-à-dire ? fit Léo, qui ne comprenait pas.

— On devrait établir la liste de tous les aliments qu'on mange le matin. Ensuite, on verra lesquels d'entre eux comportent le plus de carbonate de calcium.

— Super ! C'est génial.

— On peut commencer maintenant, proposa Félix.

Il prit une feuille de brouillon sur le dessus de la pile impressionnante qui trônait près du bureau de Léo.

Les deux garçons dressèrent leur fameuse liste. Ils ne furent interrompus que par Diane, qui venait prendre de leurs nouvelles et s'assurer qu'ils ne se coucheraient pas trop tard, étant donné que l'école recommençait le lendemain.

Jus d'orange, lait, banane, pain, beurre d'arachide, céréales, lait au chocolat, cacao, kiwi, tartinade au chocolat, œuf, jambon, bacon, fromage cheddar, pommes de terre, bleuets, beurre, confiture, café, thé, sucre, sirop d'érable, pomme, saumon fumé, bagel, fromage à la crème, fromage cottage, pamplemousse, muffin, croissant, chocolatine...

C'est sur ces mots gourmands que s'achevèrent leurs recherches de la journée !

8 . . . . DES RÉPONSES

Félix et Léo passèrent la journée du lundi à l'école. Ils fréquentaient le même établissement, situé dans le quartier Limoilou, à une vingtaine de minutes de marche de la maison. Félix était en deuxième secondaire, et Léo, en première secondaire. Tous deux aimaient bien l'école, même s'ils n'étaient pas des premiers de classe. Au sommet de la liste de leurs matières préférées figuraient l'histoire, les sciences et la géographie. Léo était plus sportif que Félix, et meilleur en éducation physique. En revanche, Félix possédait plus de facilité en français et en mathématiques. D'ailleurs, ce lundi-là, Léo n'était pas de très bonne humeur lorsqu'ils revinrent à la maison. Son professeur avait imposé à la classe un examen-surprise de grammaire française qui lui avait paru difficile. Il avait été question de mystères bien moins passionnants à ses yeux que *L'orteil de Paros* ou les énigmes du concours sur les marbres de l'Antiquité.

— Max travaillera tard ce soir, mais il a laissé un document à votre intention en bas, leur dit Diane en les accueillant à leur retour de classe. Je crois que vous allez être contents.

— Merci, mamie ! lança Félix, excité.

Ils passèrent par la cuisine pour se préparer des tartines de beurre d'arachide à la hâte, avant de filer au sous-sol.

Max avait laissé une feuille sur la table basse, près du vieux canapé. Léo s'en empara sans même prendre le temps de poser son sac d'école. Félix se rapprocha de lui pour lire aussi le texte tapé à l'ordinateur.

Salut, les garçons !

Voici la réponse à l'énigme n° 2 du concours. J'ai travaillé fort !

(Rappel de la question : Quelle méthode (simple et très pénible) les hommes préhistoriques utilisaient-ils pour soulever ce bloc de marbre de plus d'une tonne du point A au point B?)

La réponse : On creuse le sol de chaque côté du bloc de marbre (qui se trouve au point A) pour placer des leviers en dessous (exemple : des troncs d'arbre); on met des poids (exemple : des pierres) aux extrémités des leviers, ce qui aura pour effet de soulever un peu le bloc de marbre; on comble avec de la terre l'espace entre le bloc soulevé et le sol, et on recommence l'opération jusqu'à ce que le bloc soit rendu à la hauteur désirée (point B).

J'ai fait des schémas de chacune des étapes pour que ce soit plus clair :

Étape 1

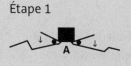

Étape 2

Étape 3

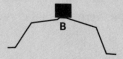

... résultat après plusieurs
répétitions des étapes 1 à 3

Si vous êtes d'accord, je pourrais recopier cette réponse (et les graphiques) sur le bulletin de participation, demain matin.

À l'attention de Léo : Les Égyptiens ont construit leurs pyramides il y a 4 000 à 5 000 ans environ; or, dans les livres, on définit la Préhistoire comme une période bien plus ancienne. Pour répondre à l'énigme, j'ai recueilli des informations dans un ouvrage qui traite de l'industrie de la pierre et du marbre, et qui explique comment on transportait les blocs de marbre à différentes époques.

Gros bisous,

Max

— Super! se réjouit Léo.

— J'aurais bien aimé mener les recherches pour résoudre cette énigme, dit Félix en admirant les jolis petits schémas.

— Moi aussi, ajouta Léo. Mais c'est une question de moins dont on devra s'occuper! On est dans une course contre la montre. Si papy et mamie peuvent nous aider, on aura peut-être plus de chances de gagner ce concours.

— Tu as raison.

— J'allume tout de suite mon ordinateur pour voir si des gens ont répondu à nos messages.

Léo se débarrassa de ses affaires et s'installa à son bureau. Félix mit quelques minutes à vérifier l'état de ses devoirs, puis il monta chercher des verres de lait et revint s'asseoir près de Léo.

— Alors? lui demanda-t-il.

— Personne n'a répondu à notre appel à tous concernant la photographie du marbre. En revanche, l'expert d'Ottawa m'a écrit!

— C'est vrai?

— Écoute!

Léo se racla la gorge. Puis, il commença sa lecture d'une voix qui traduisait une légère nervosité:

Cher monsieur Valois, je prends quelques minutes pour répondre à votre message. La collection privée Dumont-F appartient à Onésime Franchecœur, un collectionneur et amateur d'art de la région de Québec. Pour des raisons de confidentialité que vous ne manquerez pas de comprendre, je ne peux vous révéler les œuvres composant sa collection. En revanche, je peux vous transmettre le nom de quelques-unes d'entre elles, qu'il a prêtées à diverses expositions au Québec et au Canada au cours des dernières années: statuette d'Athéna (bronze); statuette archaïque de Délos (marbre); tête féminine, style alexandrin (marbre); céramique attique. En réponse à votre deuxième question, je vous dirais que c'est impossible: les ouvrages que les musées choisissent doivent répondre à des normes de légalité; c'est pour cette raison qu'il est impossible qu'un musée expose une œuvre d'art déclarée volée. En revanche, une pièce subtilisée par des voleurs, puis récupérée par la police, peut être présentée par un musée. Bonne chance dans vos études.

— Bon, soupira Félix d'un air entendu.

— Qu'est-ce que tu comprends, toi? lui demanda Léo.

— Ben, prenons notre exemple. Mettons que *L'orteil de Paros* est la sculpture qu'on a vue à l'exposition — j'en mettrais ma main au feu. Ce que nous explique Buisson, c'est que, si *L'orteil de Paros* est dans musée, c'est qu'il répond à des normes de légalité et qu'il ne peut pas s'agir d'une œuvre volée. Mais il se peut qu'il ait été dérobé dans le passé. Ce n'est pas parce qu'un objet a été subtilisé par des voleurs un jour qu'il ne sera plus jamais montré dans une exposition.

— O.K.

— Il faut faire des recherches sur cet Onésime Franchecœur et sur sa collection, proposa Félix. On doit découvrir comment il a acquis sa sculpture de marbre.

En tapant son nom dans un moteur de recherche, ils apprirent qu'Onésime Franchecœur était un industriel de la région de Québec qui avait fait fortune dans le domaine de la botte d'hiver. Son entreprise possédait un site Internet qui décrivait la production BFQ (pour Bottes Franchecœur Québec). Une page présentait l'historique de BFQ et l'histoire de son fondateur. C'est ainsi qu'ils mirent la main sur plusieurs informations intéressantes.

Onésime avait commencé en tant que simple ouvrier dans une usine où il travaillait à la chaîne. Il était chargé d'assembler les semelles et les tiges des bottes. Puis, il était monté en grade, devenant responsable de la machine destinée à couper les morceaux de cuir qui formeraient les bottes. De fil en aiguille, il avait acquis de l'expérience dans tous les secteurs de l'usine, si bien qu'à la mort de son directeur, M. Dumont, il avait été choisi pour lui succéder. Il avait ensuite entrepris des études de marketing à l'École des hautes études commerciales. Il avait agrandi son usine, développé sa production et conquis de nouveaux marchés. C'est ainsi qu'il était devenu un géant de la botte d'hiver. Dans le texte qui dressait son profil, on précisait qu'il était né en 1939. En revanche, on ne faisait aucune allusion à son goût pour l'art ni à sa collection d'œuvres. Comme beaucoup de gens très riches qui acquéraient des objets précieux, ses possessions devaient décorer sa demeure et n'être connues que de sa famille proche.

Il détenait des œuvres de grande qualité prêtées à diverses expositions au Québec et au Canada au cours des dernières années, écrivait Buisson. *Fragment de statue en marbre de Paros* ne figurait pas parmi elles, cependant... Félix et Léo souhaitaient enquêter sur ces objets pour vérifier si certains d'entre eux n'avaient pas été volés.

Il leur fut toutefois impossible d'en apprendre davantage à leur propos.

Athéna était une déesse de la mythologie grecque. Les sculptures en bronze intitulées *Statuette d'Athéna* semblaient assez fréquentes si on se fiait à une description trouvée par Félix sur le site d'un musée. Léo ne put retracer la *statuette archaïque de Délos,* en marbre, qui faisait partie de la collection de Franchecœur. Il chercha la définition des mots *archaïque* — celui-ci renvoyait à une période historique de la Grèce antique qui s'étendait de 780 à 480 avant Jésus-Christ — et Délos — une île des Cyclades, sur la mer Égée. Félix et Léo ne furent pas plus chanceux lorsqu'ils fouillèrent la Toile à la recherche d'indices sur une *tête féminine de style alexandrin* en marbre. *Alexandrin* signifiait que l'objet provenait sans doute de la ville égyptienne d'Alexandrie, et cela ne les aidait pas beaucoup. Quant à la *céramique attique,* elle venait probablement d'Athènes.

Il fallait se rendre à l'évidence : Léonard Buisson avait peut-être dévoilé les noms de quelques œuvres appartenant à la collection Dumont-F, mais ceux-ci étaient trop peu éloquents pour leur permettre d'en apprendre davantage sur le sujet. Félix et Léo purent toutefois constater que ces noms étaient absents de la liste d'œuvres d'art disparues dressée par Interpol.

La conclusion de l'ensemble de ces recherches était simple : malgré sa bonne réputation, Onésime Franchecœur avait prêté au musée une œuvre d'art suspecte. Loin de rassurer Félix et Léo, cette *bonne réputation* ajoutait du mystère à toute cette affaire !

9 . . . . DES HYPOTHÈSES

Le lendemain après-midi, après leurs cours, Félix et Léo passèrent à la bibliothèque du quartier, comme cela leur arrivait quelquefois. Ils souhaitaient vérifier si *L'orteil de Paros* figurait parmi les œuvres d'art décrites dans le livre sur l'art qu'ils avaient déjà aperçu sur un présentoir en bois au centre de la pièce principale. Leurs recherches furent vaines. Par contre, ils tombèrent sur un chapitre dans lequel l'auteur évoquait la splendeur du marbre blanc de Paros et l'admiration sans borne des artistes pour ce matériau.

Lorsqu'ils franchirent le pas de la porte de leur maison, Max était en train de leur préparer une collation. Il leur apprit que Diane avait pris le train à midi, en direction de Montréal, pour chercher des informations à la Grande Bibliothèque.

— Je ne savais pas que votre grand-mère désirait autant visiter l'Italie, déclara-t-il, un peu penaud.

— Elle est allée à Montréal à cause des énigmes? s'étonna Léo en mangeant une tartine.

— Bien sûr! répondit Max. Avant de partir, elle a consulté en ligne le catalogue de la bibliothèque et y a repéré deux volumes traitant du marbre.

— Ça alors! s'exclama Félix. C'est débile!

— Elle ne reviendra que demain. Elle va dormir chez son amie Jacinthe. Comme convenu, j'ai recopié la réponse de la deuxième énigme sur le formulaire du concours. Je l'ai déposé sur ton bureau, Félix. Prenez-en soin. Ça s'est bien passé aujourd'hui, à l'école?

— Super, dit Léo, qui suivait déjà son frère dans l'escalier menant au sous-sol.

— Et vos recherches pour le concours avancent comme vous le souhaitez?

— Pas vraiment! lança Félix. Mais on va s'y remettre.

— Je compte sur vous pour faire vos devoirs avant, rappela Max. Si vous avez besoin de quoi que ce soit, je serai à l'étage; je vais travailler dans mon bureau. Au menu, ce soir: salade de chou et hot-dogs aux saucisses merguez. Ça vous va?

— Génial! s'écrièrent en chœur les garçons.

— Je vous livrerai le tout dans votre tanière, s'esclaffa Max.

***

Félix et Léo consacrèrent une heure à leurs devoirs. C'était le prix à payer pour avoir le droit de passer aux choses « sérieuses ». Puis, ils vérifièrent la messagerie d'*ENIGMAE* — qui était vide —, avant de s'installer sur le vieux canapé avec tous leurs documents, leurs notes, le bulletin de participation en partie rempli, les photographies diverses et les messages accumulés depuis qu'ils s'intéressaient au concours du musée.

— J'avais un cours de sciences avec David aujourd'hui, annonça Félix. Je lui ai parlé de l'énigme sur la composition chimique du marbre et de l'aliment-mystère. Il m'a dit qu'il allait y réfléchir.

— Super, fit Léo. Je n'ai pas pensé à lui en parler...

— Bon, soupira Félix en nettoyant ses lunettes sur un coin de son tee-shirt noir, qui représentait New York. Avant de continuer nos prospections, il faudrait récapituler les faits concernant *L'orteil de Paros*. Cette histoire n'est vraiment pas normale. J'ai une idée pour agir, mais j'aimerais qu'on résume l'affaire avant d'en parler.

— O.K.

Léo adorait les synthèses. Avec le temps, résumer une situation était devenu un peu son rôle dans le duo qu'il formait avec Félix, lorsqu'ils se plongeaient dans une enquête. Il ne s'en plaignait pas. Cet exercice permettait à Félix de polir ses hypothèses et d'utiliser au maximum son grand esprit logique. Léo se cala contre les coussins du canapé, puis il s'empara de quelques documents et commença :

— *L'orteil de Paros* est une sculpture antique qui date de la période hellénistique, c'est-à-dire qu'elle a été réalisée entre le IIIe siècle et le Ier siècle avant Jésus-Christ, en Grèce. Elle est en marbre de Paros, une super-belle roche blanche qui provient des carrières de marbre d'une île des Cyclades. La sculpture est pas mal abîmée. *L'orteil de Paros* appartenait à des Écossais habitant Édimbourg. Le 19 octobre 1985, un vol s'est produit dans leur maison. Leur domestique a été maîtrisé, et trois individus se sont emparés de cette œuvre, ainsi que de bijoux anciens enfermés dans un coffre-fort...

— ... et d'un certificat officiel prouvant que la sculpture était authentique, ajouta Félix.

— Tout ça, on le sait grâce à une fiche de déclaration de vol que j'ai trouvée par hasard sur le site d'Interpol, puisqu'on peut consulter le fichier des œuvres d'art disparues ou volées.

— Parfait, dit Félix en approuvant de la tête. Cette déclaration porte le numéro de dossier 1201-86.

— C'est maintenant que le mystère s'épaissit, poursuivit Léo en prenant une voix sépulcrale destinée à faire peur. Car *L'orteil de Paros* a peut-être été volé en Écosse en 1985, mais une œuvre intitulée *Fragment de statue en marbre de Paros,* exposée à Québec, présente les mêmes caractéristiques que le pied volé !

— Diane est d'accord avec nous pour affirmer que les deux œuvres se ressemblent comme deux gouttes d'eau.

— Ce qui signifierait qu'un objet volé est exposé au musée ! s'exclama Léo. Or, Léonard Buisson, expert de l'Institut fédéral d'expertise scientifique des œuvres d'art, à Ottawa, nous a expliqué que c'était impossible. Les musées ne présentent jamais de pièces volées, parce qu'il y a des vérifications et des machins légaux.

— Nous avons donc plusieurs hypothèses devant nous.

— Voici la livraison! lança Max depuis l'escalier.

Il déposa un plateau sur la table. Les sandwichs fumaient et semblaient délicieux. Félix et Léo le remercièrent, puis reprirent leur discussion là où elle s'était arrêtée, alors que leur grand-père repartait.

— Il y a donc plusieurs hypothèses, répéta Félix, qui lisait ses notes en entamant son souper. Première possibilité : le pied en marbre du musée est *L'orteil de Paros,* c'est-à-dire un objet volé. Cela signifie que ton expert se trompe et qu'il est possible qu'un musée expose un objet recherché par la police. Mais ça m'étonnerait beaucoup. Deuxième possibilité : le pied du musée est *L'orteil de Paros*, qui a été retrouvé depuis son vol en 1985 et vendu par la famille écossaise à Franchecœur. Ce qui est bizarre, c'est qu'il ne porte plus le même nom et qu'Interpol n'a pas mentionné sur son site qu'il avait été récupéré. Troisième possibilité : le pied du musée est une copie de *L'orteil de Paros*. Cela signifie que son propriétaire, Onésime Franchecœur, le roi de la botte, est un escroc ou qu'il s'est fait refiler un faux. Quatrième possibilité : on est tous dans les patates, parce que ces deux œuvres ne sont pas identiques. Max, Diane et toi devriez porter des lunettes, et moi, je devrais jeter les miennes à la poubelle!

Léo éclata de rire.

— En fait, il y a une cinquième possibilité, ajouta Félix.

— Laquelle ?

— La sculpture du musée pourrait être une copie *légale* de *L'orteil de Paros*. Celui-ci a bien disparu, mais il en existerait des copies datant de la même période historique.

Les yeux noirs de Léo s'illuminèrent. Il termina son hot-dog en une bouchée géante.

— Hier soir, au cours de nos recherches sur les quatre objets que possède Franchecœur, poursuivit Félix, j'ai lu que, dans l'Antiquité, les artistes sculptaient souvent plusieurs exemplaires d'une statue pour les placer en rangées dans les temples.

Félix se tut. Il fit soudain une grimace affreuse.

— C'est débile ! s'exclama-t-il. Cette cinquième hypothèse est nulle ! Si ces deux œuvres étaient des copies et qu'elles dataient de l'Antiquité, elles ne pourraient pas se ressembler à ce point-là. Elles sont usées au même endroit. On dirait des copies conformes.

— Tu as raison, acquiesça Léo. Tu disais tantôt que tu avais une idée. C'est quoi ?

— Justement, *aux grands maux, les grands moyens*, comme radote mamie.

Sur ce, Félix alla à son ordinateur pour taper un texte mystérieux, qu'il imprima aussitôt. Puis, il revint s'asseoir auprès de Léo, qui l'avait observé en silence.

— Qu'est-ce que tu proposes ? lui demanda enfin Léo.

— D'écrire à Interpol, déclara Félix en agitant sa feuille comme un drapeau.

10 . . . . LES GRANDS MOYENS

— Quoi ? fit Léo en roulant de gros yeux. Écrire à Interpol ?

— Exactement, marmonna Félix en relisant le texte qu'il venait de rédiger à la hâte.

— Tu crois qu'on peut le faire ?

— J'en suis sûr ! Je l'ai vérifié. Au bas de chaque fiche décrivant un vol et les œuvres cambriolées, il y a un lien en bleu qui permet de contacter directement Interpol si on possède des renseignements relatifs au vol ou aux objets volés.

— Je ne l'avais pas remarqué. C'est super !

— C'est une messagerie, en fait, poursuivit Félix. On tape nos noms, notre adresse, notre numéro de téléphone, notre adresse électronique et notre message. On peut aussi joindre un fichier. Je pensais annexer une photographie numérique de la page où on voit le pied de marbre dans le catalogue de l'exposition et l'envoyer. J'ai préparé un texte. Il n'est pas compliqué ; écoute ça :

Bonjour, on habite Québec et on vient de voir l'exposition Les marbres de l'Antiquité *au Musée de la civilisation. En visitant cette exposition, on a constaté qu'une sculpture intitulée* Fragment de statue en marbre de Paros *(voir la photo qu'on vous envoie avec ce message et qui vient du catalogue de l'exposition) ressemble beaucoup à une œuvre intitulée* L'orteil de Paros, *qui a été volée en Écosse en 1985, selon votre registre des œuvres d'art volées (n° de dossier : 1201-86). Cette histoire nous paraît très bizarre, à mon frère et à moi, et on aimerait savoir si* L'orteil de Paros *est toujours disparu ou si la police l'a récupéré, ce qui expliquerait pourquoi on l'a vu au musée. Merci beaucoup. Félix et Léo Valois*

— On est obligés de donner nos vrais noms et notre vraie adresse ? demanda Léo, un peu inquiet.

— Évidemment, répondit Félix. Il n'est pas question de mentir.

Félix connaissait bien cet aspect de la personnalité de son frère. Léo pouvait se montrer à la fois fonceur et timoré. Il était capable de les engager dans l'aventure la plus incroyable, puis d'hésiter au moment de sauter un obstacle.

— C'est parce qu'on s'apprête à écrire à la police, avoua Léo. Elle pourrait penser qu'on fait une blague ou qu'on est impliqués dans le vol.

— Tu plaisantes ! D'abord, elle verra que ce n'est pas une blague, puisqu'on envoie la photo de la sculpture exposée au musée. Elle pourra vérifier les informations qu'on lui transmet. Si elle communique avec le musée, elle s'apercevra qu'on n'a pas menti et que le truc en marbre est là-bas. Si on était impliqués dans un vol, pourquoi on contacterait la police? Ce ne serait pas logique!

— On ne peut pas envoyer ton message en restant anonymes?

— Non. Et si on fait tout pour dissimuler notre identité, on court à la catastrophe, si tu veux mon avis! La police risque de nous trouver assez vite, d'autant plus qu'elle pourrait découvrir qu'on a communiqué avec un expert à Ottawa...

— C'est vrai, convint Léo.

— N'oublie pas qu'on a peut-être découvert qu'une œuvre volée en Écosse se trouve au musée de Québec. Tu imagines? Si c'est le cas, la police devra mener une enquête!

— Ce serait super...

— J'ai beau y réfléchir, expliqua Félix, je ne vois pas d'autre solution que d'écrire à Interpol. Il faut qu'on sache ce que cette histoire cache; les deux œuvres se ressemblent beaucoup trop! Si on se trompe, ce n'est pas grave. La police internationale doit recevoir plein de fausses pistes. Notre message ne fera pas de nous des personnes suspectes. Enfin, je crois.

— Tu n'en es pas sûr? s'inquiéta Léo.

— Mais si, voyons.

— Et si on en parlait à papy?

— Bonne idée!

Selon Max, une raison logique qu'ils ignoraient expliquait sûrement l'imbroglio entre les deux sculptures. C'est pourquoi il trouva judicieuse l'idée de communiquer avec Interpol. Il valait mieux jouer franc jeu dans le domaine de la chasse aux œuvres d'art volées. Il alla consulter le site de la police internationale pour s'assurer de son sérieux.

— Vous n'avez rien à craindre, déclara-t-il après de longues minutes de navigation au cœur des pages d'Interpol. Le site est fait pour transmettre des informations de cet ordre. Au pire, on ne vous répondra pas. Au mieux, vous en saurez un peu plus sur cette histoire qui vous obsède depuis quatre jours. Ce monsieur Franchecœur, le propriétaire du marbre exposé au musée, savez-vous s'il habite la ville de Québec?

— On n'a pas trouvé son adresse personnelle, répondit Félix.

— Évidemment! J'imagine que ce genre de personne ne figure pas dans l'annuaire téléphonique. Quoi qu'il en soit, vous avez bien fait de me parler de votre intention de contacter Interpol. Si la police nous appelle à ce propos, on saura quoi lui dire.

— La police pourrait appeler ici? s'étonna Léo.

— Oui, c'est toujours possible, surtout si vous avez découvert quelque chose qui l'intéresse. Ou si elle veut vérifier votre identité, ce qui me paraît être la moindre des précautions à prendre.

— Ce ne serait pas mieux si c'était toi qui lui écrivais?

— Pas question, Léo ! Vous êtes plus au courant que moi des détails de cet orteil. Je serais capable de me tromper et d'expliquer comment soulever un bloc de marbre à l'époque préhistorique !

Félix et Léo s'esclaffèrent.

— De plus, votre message est parfait ! conclut Max. Je n'aurais pas fait mieux !

Quelques minutes plus tard, le cœur battant et sous le regard attentif de Léo, Félix transmit leur documentation et leurs coordonnées au service d'enquête internationale sur les œuvres d'art volées.

11 · · · · · · · · · · · · JOUR DE TEMPÊTE

Diane appela le lendemain matin, au moment du petit-déjeuner, pour révéler de vive voix le résultat de ses recherches. Elle avait trouvé, dans un des volumes de la bibliothèque, le nom du marbre de la troisième énigme: *Brèche africaine*! C'était une roche qui provenait de Téos, en Turquie. Son exploitation avait débuté dans l'Antiquité, et la carrière était aujourd'hui fermée. Quatre énigmes sur six étaient donc résolues. Il ne restait plus à Félix et Léo qu'à piéger dans leur filet l'aliment secret qui possédait en partie la composition chimique du marbre, et le monument italien qui ne laissait pas assez de place aux voitures...

Ils n'avaient pas reçu de nouvelles d'Interpol. Pas même un accusé de réception. Le contraire eût été surprenant, mais Félix semblait déçu.

Il tâcha de chasser le mystère de *L'orteil de Paros* de son esprit et décida d'en finir une fois pour toutes avec la cinquième énigme, qui paraissait l'agacer. Il proposa à Léo de procéder avec méthode. Il suggéra de saisir, dans le moteur de recherche, le nom de chaque aliment qu'ils mangeaient au petit-déjeuner et qui était inclus dans leur liste, en lui adjoignant les termes «carbonate de calcium». *Jus d'orange, carbonate de calcium... Lait, carbonate de calcium... Banane, carbonate de calcium...* Ainsi, ils pourraient recueillir un maximum d'indices. Des trente et un éléments composant leur inventaire, Félix retira le muffin, le croissant et la chocolatine, qu'il considérait comme des plats préparés. Il restait donc vingt-huit aliments. Félix et Léo se divisèrent l'analyse. Lorsqu'ils se couchèrent, ils étaient loin d'avoir terminé...

***

Si on exceptait la tempête, qui amena au cours de la matinée plus de quinze centimètres de neige dans les rues de Québec, le jeudi ressembla aux autres jeudis. Félix et Léo finissaient l'école plus tôt ce jour-là. Ils franchirent la porte de leur maison avec entrain, impatients d'élucider les deux derniers mystères. La résolution de ces énigmes n'avançait pas assez vite, à leurs yeux. Cela faisait six jours que l'exposition *Les marbres de l'Antiquité* avait ouvert ses portes, et personne ne pouvait prédire combien de visiteurs avaient déjà envoyé leur bulletin de participation au concours. La famille Valois possédait peut-être une chance de figurer parmi les premiers, mais elle devait se dépêcher de transmettre ses réponses. Félix et Léo décidèrent d'un commun accord de mettre de côté leurs devoirs pour consacrer leur soirée à leurs recherches et pour se concentrer sur cette course contre la montre.

Lorsqu'ils entrèrent dans la cuisine afin de préparer leur collation habituelle, ils trouvèrent Diane et Max assis autour de la table, en pleine conversation.

— Les garçons, on doit vous parler! leur lança Diane.

Elle paraissait anxieuse.

— Asseyez-vous, s'il vous plaît, ajouta-t-elle.

Félix et Léo se dévisagèrent, étonnés. Puis, ils déposèrent leur sac d'école sur le plancher et obéirent. Des tartines avaient été disposées sur la table.

— Le capitaine Melville, de la Sûreté du Québec, vient de nous téléphoner, déclara Diane.

Léo se tourna vers Félix. Son cœur battait la chamade. Un policier avait appelé chez eux! C'était bien un jour de tempête...

— Le capitaine Melville a été contacté par le service des œuvres d'art volées d'Interpol, auquel vous avez écrit il y a quelques jours, expliqua Max. J'ai raconté toute l'histoire à Diane.

— Qu'est-ce qu'il voulait? demanda Félix d'une voix timide.

— Étant donné la gravité des renseignements que vous avez transmis, il souhaitait d'abord savoir qui vous étiez et si vous aviez l'habitude de communiquer avec les services policiers, répondit Diane.

— Nous lui avons confirmé que vous étiez de vrais petits anges! s'exclama Max en leur faisant un clin d'œil.

Max n'avait pas perdu sa bonne humeur et ne semblait pas préoccupé par la situation.

— Et, bien sûr, nous lui avons parlé de votre site, de vos passions pour les enquêtes, les mystères, l'histoire et les sciences, ajouta-t-il.

Rassuré, Léo poussa un profond soupir.

— Ce capitaine est membre d'une escouade, déclara Diane.

— Hein? s'alarma Félix.

— Oui, il appartient à l'équipe canadienne chargée des enquêtes sur les œuvres d'art, précisa-t-elle. Il nous a raconté que votre message avait été pris très au sérieux par les services d'Interpol, qui sont en train d'analyser la situation. Vous leur avez indiqué un fait troublant concernant un objet exposé dans un musée réputé. C'est loin d'être banal et cela exige de procéder à des vérifications. Le capitaine Melville nous a demandé la permission de communiquer avec vous directement. Il se peut qu'il vous téléphone ou qu'il vous écrive pour confirmer certaines choses.

Félix et Léo se dévisagèrent une nouvelle fois, incrédules. Cette affaire prenait des proportions auxquelles ils ne s'attendaient pas.

— Ce qui est important pour le capitaine Melville, ajouta Max sur un ton sérieux, c'est que vous ne parliez à personne de cette affaire avant qu'elle soit réglée. Félix, Léo, avez-vous discuté de votre enquête à propos de *L'orteil de Paros* avec des amis ou avec des professeurs?

— Non, fit Léo.

— Non, renchérit Félix. J'ai demandé à David, notre prof de sciences, de nous aider à résoudre l'énigme de l'aliment, c'est tout.

— J'ai envoyé un message à un expert, confia Léo, l'air piteux. Il s'appelle Léonard Buisson et travaille dans un institut qui analyse des œuvres d'art. Mais je n'ai jamais mentionné cette sculpture en particulier. Je voulais savoir s'il connaissait la collection Dumont-F, à laquelle appartient le pied en marbre du musée, et si c'était possible qu'un objet volé soit présenté à une exposition.

Diane et Max parurent surpris.

— C'est quoi, cet institut, au juste ? s'inquiéta Max.

— Attends que je m'en souvienne, bredouilla Léo en tâchant de se remémorer son nom exact. C'est l'Institut fédéral d'expertise scientifique des œuvres d'art, je crois.

— Bon, le mieux serait que vous téléphoniez au capitaine Melville ou que vous lui écriviez pour le prévenir, leur conseilla Max en sortant un papier de sa poche. Voici les coordonnées qu'il nous a laissées. Je veux que vous le fassiez immédiatement !

***

Quelques minutes plus tard, Félix et Léo envoyèrent un courrier électronique à l'adresse du capitaine Melville, en poste à Gatineau, dans l'Outaouais. Ils étaient beaucoup trop gênés et anxieux pour oser lui téléphoner. Au lieu d'expliquer en détail ce qui s'était produit, ils décidèrent de joindre à leur texte les courriels échangés entre Léo et Léonard Buisson. L'enquêteur aurait ainsi en main tous les éléments concernant les informations communiquées et il constaterait que celles-ci ne mentionnaient pas la sculpture de l'exposition.

Il ne restait plus qu'à attendre. La situation n'était plus la même, maintenant. Les services d'Interpol avaient jugé leur affaire assez sérieuse pour entreprendre des vérifications et prévenir la police du Québec ! Félix et Léo se sentaient à la fois rassurés et inquiets.

Pour se changer les idées, Félix proposa de se consacrer à la résolution des cinquième et sixième énigmes du concours. Ils n'étaient plus qu'à un cheveu de pouvoir envoyer leur bulletin de participation !

Comme Félix, Léo avait passé en revue la quasi-totalité des aliments de sa liste. Il s'était lassé et explorait maintenant les pages d'un guide touristique sur l'Italie accessible en ligne afin de trouver l'étrange monument qu'évoquait la sixième question du concours. Mais il ne parvenait pas à se concentrer sur ses recherches.

— Qu'est-ce que la police va faire, d'après toi ? demanda-t-il en s'affaissant sur le siège de son ordinateur.

— Je ne sais pas, soupira Félix. J'imagine qu'elle va vérifier si *L'orteil de Paros* est...

— Il y a un appel pour vous deux, les garçons ! leur cria soudain Max du haut des marches de l'escalier qui menait au sous-sol.

Le cœur de Léo bondit dans sa poitrine. Il pensa au capitaine Melville. Ce devait être lui ! Il devait être furieux que deux jeunes aient contacté un expert pour glaner des renseignements et mener leur propre enquête !

Félix décrocha le combiné du téléphone installé sur leur table basse et brancha le haut-parleur.

— Ici Stéphane Gagnon, entendit-on au bout du fil. Je suis chargé de projet au Musée de la civilisation, à Québec. Est-ce que je parle à Félix ou à Léo Valois?

— C'est... c'est Félix Valois, bafouilla le garçon.

— Bonjour, Félix. Nous avons eu tes coordonnées par un enquêteur de la Sûreté du Québec. Je t'appelle, car M. Pierre Fréchette, le directeur du service de la recherche muséologique du musée, souhaite te parler. C'est urgent. Ne quitte pas, je te le passe tout de suite!

Félix attendit en silence. Les intonations de la voix de ce M. Gagnon l'inquiétaient. Elles traduisaient un réel état de panique.

Il s'installa sur le canapé, près de Léo, qui ne le quittait pas des yeux. L'appréhension se lisait sur son visage.

— Allô! Félix Valois?

— Oui, c'est moi, répondit-il.

— Pierre Fréchette, du Musée de la civilisation. Est-ce bien ton frère et toi qui avez lancé cette affaire avec Interpol?

— Oui, mais...

— Mon garçon, coupa la voix autoritaire, tu sauras que cela ne se fait pas. De toute évidence, vous n'avez pas conscience de la situation extrêmement délicate dans laquelle votre action irréfléchie plonge notre musée. On n'a pas idée d'appeler la police avant de prévenir notre direction des expositions, tout ça pour une histoire qui ne mène à rien ! Je tenais à ce que vous sachiez que le musée n'est pas du tout content de votre initiative. Est-ce que tu comprends ce que je suis en train de te dire, au moins ?

— Oui, bredouilla Félix, effrayé.

— Si vous aviez daigné vous adresser à nous, nous vous aurions répondu ! Je demanderai à ce que la police vous rencontre, votre famille et vous, pour que cela ne se reproduise plus à l'avenir et pour que vous appreniez de votre erreur. Au revoir.

Sur ce, Pierre Fréchette raccrocha. Félix n'eut le temps ni de poser une question ni de présenter des excuses.

L'appel de cet homme en colère avait tétanisé les deux frères.

— *Pour une histoire qui ne mène à rien,* répéta Félix, encore sous le choc.

— Il a raison, on aurait dû prévenir les gens du musée, lâcha Léo.

— Pour leur dire quoi ?

— Je ne sais pas...

— Ce qui a déclenché notre enquête, c'est la fiche d'Interpol, bougonna Félix. On aurait eu l'air malin si on avait contacté le personnel du musée ! À mon avis, personne ne nous aurait pris au sérieux. Alors qu'en s'adressant à la police on ne faisait que répondre à un appel à tous pour retrouver un objet volé, point final. De toute façon, papy était d'accord avec notre façon d'agir.

— C'est vrai, admit Léo, soudain rassuré. Qu'est-ce qu'on fait, maintenant?

— Plus rien! rétorqua Félix. Je n'ai pas envie d'être sermonné par quelqu'un d'autre!

12 . . . . LE DOSSIER 1201-86

Le lendemain matin, en allant à l'école, Félix et Léo postèrent enfin le bulletin de participation de leur famille à
l'adresse du concours *Vive l'Italie!*. Ils avaient résolu toutes
les énigmes!

La veille, une heure à peine après le pénible appel de
Pierre Fréchette, Félix avait reçu un très court texte dans
sa messagerie électronique: *La coquille de l'œuf de poule.
À bientôt, David.* Cette information, transmise par leur
professeur de sciences, répondait à la cinquième question du concours: *Quelle partie d'un aliment qu'on mange
souvent le matin a la même composition chimique (à 94 %)
que le marbre?* Elle corroborait ce que Félix venait de
découvrir en s'attardant à l'analyse du onzième aliment
sur sa liste: l'œuf. Quelques dernières vérifications lui per-
mirent de confirmer que la coquille de l'œuf de poule se
composait effectivement de carbonate de calcium — le
principal composé du marbre —, dans une proportion de
quatre-vingt-quatorze pour cent!

En fin de soirée, Léo avait trouvé ce qu'il cherchait dans les pages du guide touristique virtuel sur l'Italie. Le fameux monument italien en forme de pied, qui ne laissait pas assez de place aux voitures, se trouvait à Rome et s'appelait le *Pie di marmo*. Ce vestige antique provenait d'un temple ancien. C'était un gros pied en marbre qui occupait la moitié d'une ruelle étroite de la ville.

Félix et Léo s'empressèrent d'annoncer l'heureuse nouvelle à Diane et à Max, qui furent transportés de joie. La famille Valois pouvait maintenant rêver d'un voyage...

Le concours étant désormais derrière eux, ils se consacrèrent à *L'orteil de Paros* et à son histoire obscure. Au cours des jours suivants, pour s'assurer de n'être passés à côté d'aucune piste, ils fouinèrent pendant quelques heures dans la bibliothèque Gabrielle-Roy, la plus grande bibliothèque de Québec, située dans le quartier Saint-Roch. Malgré la richesse des ouvrages consacrés à l'art en général et à la civilisation gréco-romaine, il fallait se rendre à l'évidence : les lieux ne dissimulaient aucun secret sur leur sculpture.

Ce n'est qu'au retour de l'école, le mardi suivant, qu'ils reçurent des nouvelles de leur mystérieuse affaire. Un message du capitaine Melville les attendait dans la boîte postale virtuelle d'*ENIGMAE* !

Bonjour, et merci beaucoup pour vos informations, messieurs Félix et Léo. J'apprécie votre franchise. Je connais personnellement Léonard Buisson, de l'Institut fédéral d'expertise scientifique des œuvres d'art, de même que Jasmin Rivard, le directeur de cet établissement.

Une vérification nous confirme que la fiche de déclaration de vol d'Interpol, dossier n° 1201-86, n'était pas à jour. Les bijoux anciens dérobés à Édimbourg sont toujours introuvables, mais l'œuvre L'orteil de Paros, *qui date de la période hellénistique, a été retrouvée le 3 mai 1990. Le dossier Interpol sera actualisé au cours des prochains jours. Merci de votre contribution.*

Capitaine Melville, de la Sûreté du Québec

Installés sur le canapé qui trônait dans la pièce commune du sous-sol, Félix et Léo avaient imprimé ce texte et le relisaient en boucle, abasourdis.

Le capitaine Melville les remerciait et ne leur en voulait pas d'avoir contacté Léonard Buisson. Les deux hommes défendaient la même cause — celle des œuvres d'art — et travaillaient sûrement ensemble à l'occasion.

— La fiche d'Interpol n'était donc pas à jour lorsqu'on l'a consultée, soupira Léo, presque en colère. À quoi ça sert de posséder un registre des objets volés si l'information n'est pas exacte ?

— Avec les centaines de cambriolages que la police internationale doit répertorier, ça ne m'étonne pas trop qu'il y ait des erreurs.

— Il fallait que ça tombe sur notre orteil !

— Il a donc été subtilisé en 1985 et retrouvé en 1990, réfléchissait Félix à voix haute. Il n'y a plus de problème, et on a remué ciel et terre pour rien ! C'est nul. Le fragment de statue exposé au musée est *L'orteil de Paros*.

Onésime Franchecœur a dû l'acheter à la famille écossaise d'Édimbourg.

— Ce machin aurait changé de nom, alors?

— Oui, lâcha Félix en haussant les épaules. On l'a peut-être débaptisé pour ne pas attirer l'attention sur lui, étant donné qu'il avait été volé.

— On ne peut pas dire que ce soit réussi! s'exclama Léo, amusé.

— C'est normal que M. Fréchette nous ait reproché de ne pas avoir prévenu le musée avant de contacter la police, ajouta Félix d'un air piteux. Il savait que l'objet exposé était *L'orteil de Paros*, qu'il avait été retrouvé depuis longtemps et que sa présence n'avait rien de bizarre.

Léo se contenta de grimacer.

— Je comprends mieux aussi pourquoi ces marbres se ressemblaient comme deux gouttes d'eau, conclut Félix.

— La bonne nouvelle, c'est que tu n'as pas à jeter tes lunettes à la poubelle!

Malgré leurs nombreuses recherches, Félix et Léo n'avaient pas appris grand-chose à propos de cette sculpture antique. Ils ne connaissaient ni son histoire, ni le nom de l'artiste qui l'avait sculptée, ni le lieu exact de sa provenance, ni la statue dont elle était un fragment. Ils ne possédaient que des renseignements sur le matériau dont elle était faite et sur l'époque à laquelle on l'avait conçue. C'était plutôt décevant.

Ils placèrent l'ensemble de leur documentation dans une large enveloppe défraîchie qu'ils avaient trouvée dans le bac de recyclage. Félix y colla une étiquette, sur laquelle il écrivit : AFFAIRE *L'orteil de Paros*. Puis, ils la rangèrent dans une boîte en carton, sur une étagère.

13. . . . . L'INVITATION

Deux semaines passèrent. Félix et Léo avaient repris leurs activités normales lorsqu'ils reçurent un deuxième message du capitaine Melville.

La courte missive ne leur était pas exclusivement adressée : elle comptait huit destinataires. Leurs titres officiels n'étaient pas indiqués au complet. En plus de leurs deux noms, Félix et Léo lurent ceux de Jasmin Rivard, directeur, de Léonard Buisson, de Françoise Delmont, directrice des expositions, de Pierre Fréchette, directeur du service de la recherche, de Lise Roth et de Stéphane Gagnon, chargés de projet. Le texte envoyé par le membre de l'escouade canadienne chargée des enquêtes sur les œuvres d'art disait ceci :

Vous êtes invités à une vidéoconférence qui se tiendra samedi prochain de 9 h à 11 h, au Musée de la civilisation (pour ceux qui habitent la région de Québec) et à l'Institut fédéral d'expertise (pour les résidants des régions de

Gatineau et d'Ottawa). Veuillez confirmer votre présence le plus rapidement possible auprès de Lise Roth. Merci.

Capitaine Melville, de la Sûreté du Québec

Félix et Léo n'en crurent pas leurs yeux. Ne sachant quoi faire, ils se précipitèrent auprès de Diane, qui était occupée à classer des papiers dans le salon. Ils désiraient recueillir son avis à propos de cette invitation.

— Je vais appeler Lise Roth pour m'assurer qu'on n'a pas fait d'erreur en vous conviant à cette réunion, décida-t-elle après avoir relu le message du policier. Cela me permettra d'en apprendre davantage. Mais je dois savoir avant de téléphoner : souhaitez-vous participer à cette rencontre, oui ou non ?

Félix se tourna vers Léo.

— Qu'est-ce que tu en penses ? lui demanda-t-il, indécis.

— C'est super-intimidant, répondit Léo. Mais je crois qu'on devrait y aller.

— Je suis d'accord avec toi, même si je n'ai aucune envie de rencontrer Pierre Fréchette, avoua Félix. J'espère qu'on ne nous invite pas pour nous faire la morale !

— Ça m'étonnerait beaucoup, intervint Diane.

— Ils ont sans doute de nouvelles informations, ajouta Félix, songeur. À moins qu'ils se rassemblent pour faire la synthèse de ce qui s'est passé.

— C'est quoi, au juste, une vidéoconférence ? s'enquit Léo.

— C'est une réunion qui se déroule dans plusieurs salles équipées de caméras vidéo, d'écrans et de microphones, expliqua Diane. Grâce à cette méthode, les participants peuvent se voir et dialoguer tout en étant éloignés les uns des autres.

Impatients de rouvrir leur dossier AFFAIRE *L'orteil de Paros*, Félix et Léo se décidèrent : si on les invitait à participer à une réunion, c'était un privilège qu'ils ne devaient pas refuser.

Diane appela la chargée de projet du musée. Lise Roth lui confirma que Félix et Léo étaient bel et bien conviés à cette assemblée extraordinaire. Le capitaine Melville en personne tenait à ce qu'ils soient présents. L'un des grands-parents des garçons pouvait y assister s'il le souhaitait, mais on lui fit gentiment comprendre que ce n'était pas nécessaire et qu'il était préférable de réduire le nombre des participants à cette discussion entre experts. Félix et Léo n'étaient invités qu'à titre d'observateurs et ne devaient pas déranger le cours des échanges ni intervenir de leur propre initiative.

14 . . . . SIR EDWARD

Lorsque Félix et Léo pénétrèrent dans la salle de conférence du musée, où la réunion devait débuter une quinzaine de minutes plus tard, quatre personnes étaient déjà assises autour de la table. Une dame d'une cinquantaine d'années aux cheveux gris, longs et bouclés, était en grande conversation avec un homme très élégant, du même âge qu'elle, qu'elle appelait Pierre. Il devait s'agir de Pierre Fréchette. Deux autres individus plus jeunes — sans doute Lise Roth et Stéphane Gagnon — étaient plongés dans la lecture de documents, et ils ne levèrent pas le nez à leur arrivée. En fait, personne ne les salua.

Des microphones en forme de pyramides étaient disséminés sur la table. Un écran géant posé contre le mur diffusait l'image d'une salle semblable à la leur, mais vide. La secrétaire qui avait mené Félix et Léo à travers les couloirs du musée jusqu'à leur destination finale leur indiqua deux places.

— Si vous voulez quelque chose à boire ou à manger, vous pouvez aller vous servir là-bas, leur murmura-t-elle en leur montrant une desserte au fond de la pièce sur laquelle on avait disposé des carafes d'eau, des cafetières, des boîtes de lait, des verres, des tasses, des jus de fruits, des muffins et des croissants.

Félix et Léo la remercièrent et s'assirent en silence. Malgré l'allure alléchante du buffet, ils n'y touchèrent pas, se sentant beaucoup trop énervés pour aller se chercher un casse-croûte. De toute façon, ils n'avaient pas faim. Félix sortit deux carnets de notes et des stylos de son sac à dos. Ses mains tremblaient. Léo et lui n'avaient pas dormi de la nuit, anxieux à l'idée de cette rencontre. Diane et Max s'étaient contentés de les accompagner jusqu'à l'accueil du musée et leur avaient donné rendez-vous à onze heures.

Félix et Léo eurent à peine le temps de s'installer. On entendit du bruit, et on put voir sur l'écran trois hommes en costume prendre place autour de la table de l'Institut fédéral d'expertise. L'un d'entre eux resta debout. Il brancha un ordinateur portable à une sorte de console et l'alluma. Un panneau blanc lumineux s'éclaira aussitôt derrière lui. Il avait sans doute l'intention de faire une présentation multimédia.

— Bonjour, dit-il d'une voix grave, sans lâcher des yeux les notes posées devant lui. Merci d'être là. Si vous n'y voyez pas d'inconvénient, nous allons commencer sans tarder.

Les voix se turent dans l'assemblée.

— Pour ceux qui ne me connaissent pas encore, mon nom est Jasmin Rivard. Je suis le directeur de l'Institut fédéral d'expertise scientifique des œuvres d'art. À mes côtés, ici, à Ottawa : monsieur Buisson, expert de notre institut, qui a suivi cette affaire depuis le début, et le capitaine Melville, de la Sûreté du Québec, membre de l'escouade canadienne chargée des enquêtes sur les œuvres d'art. À Québec : Françoise Delmont, directrice des expositions du Musée de la civilisation, Pierre Fréchette, directeur du service de la recherche muséologique de ce musée, Lise Roth et Stéphane Gagnon, chargés de projet. Maintenant que les présentations sont faites, passons à ce qui nous rassemble en ce samedi matin.

Félix glissa un coup d'œil rapide vers Léo. Jasmin Rivard n'avait même pas prononcé leurs noms...

— Je souhaite d'abord rappeler brièvement les événements, poursuivit-il. Il y a quelques semaines, on a attiré notre attention sur le fait qu'une œuvre intitulée *Fragment de statue en marbre de Paros*, datant de la période hellénistique et appartenant à la collection Dumont-F, et présentée au Musée de la civilisation dans le cadre de la nouvelle exposition *Les marbres de l'Antiquité*, présentait des ressemblances frappantes avec une autre œuvre, *L'orteil de Paros*, appartenant à la famille écossaise Edward et déclarée volée par les services d'Interpol depuis l'an 1986.

Félix commença à prendre des notes.

— Interpol nous a confirmé deux faits : primo, la fiche de déclaration de vol qui figure dans ses dossiers n'est pas à jour : *L'orteil de Paros*, subtilisée le 19 octobre 1985 chez Belinda Edward, a été récupérée le 3 mai 1990 à Los Angeles ; secundo, dès qu'elle a été retrouvée, elle a été restituée à ses propriétaires, dont elle n'a plus jamais quitté la demeure. Elle trône sur la cheminée du salon des Edward depuis ce jour.

Léo sursauta. Il se retourna vers Félix, qui arrêta d'écrire dans son calepin. Leurs regards se croisèrent. *Dont elle n'a plus jamais quitté la demeure. Elle trône sur la cheminée du salon des Edward depuis ce jour.* À la lumière des révélations de Rivard, ils avaient compris la même chose : le pied en marbre exposé au musée ne pouvait être *L'orteil de Paros*, comme ils le croyaient jusqu'alors !

— Nous étions donc en présence d'un vrai mystère, confia Rivard, le nez collé sur ses documents. Car, il faut bien l'admettre, les deux œuvres *Fragment de statue en marbre de Paros* et *L'orteil de Paros* paraissaient identiques. Capitaine Melville, pouvez-vous nous dire quelques mots à propos de l'histoire de ces deux sculptures, s'il vous plaît ?

— Certainement, répondit celui-ci. Sir Edward, un riche amateur d'art, acquiert *L'orteil de Paros* en 1832, lors d'un voyage en Grèce. L'œuvre décore la demeure familiale — aujourd'hui occupée par sa descendante, Belinda Edward — jusqu'à la nuit du 19 octobre 1985. Cette nuit-là, un cambriolage a lieu : *L'orteil de Paros* et son certificat d'authenticité — rédigé en 1832 — sont subtilisés par trois individus. Cinq ans après l'événement, la sculpture est retrouvée dans les bagages d'un homme en provenance de Mexico au cours d'une fouille de routine effectuée par les douaniers de l'aéroport de Los Angeles. L'œuvre et son certificat sont aussitôt restitués à la famille écossaise.

Le capitaine Melville fit une pause pour boire une gorgée d'eau, avant de poursuivre :

— Quant à l'autre objet, *Fragment de statue en marbre de Paros,* son propriétaire est Onésime Franchecœur, un industriel et collectionneur de la région de Québec. Il l'acquiert à l'occasion de son passage à São Paulo durant un voyage d'affaires en 1993. Il achète ce marbre avec son certificat d'authenticité — qui date de 1832 — dans une galerie d'art réputée de la ville. Étant un ami personnel de madame Delmont, ici présente, qui préparait la tenue de l'exposition *Les marbres de l'Antiquité,* monsieur Franchecœur consent à lui prêter cette sculpture antique pour illustrer la beauté du marbre grec. Monsieur Franchecœur, qui se trouve actuellement à l'extérieur du pays, mais qui a pu être contacté par téléphone, affirme n'avoir jamais entendu parler de *L'orteil de Paros* ni du vol survenu en Écosse. Sa collection est vaste et très variée, et il n'a jamais douté de l'authenticité du certificat et de l'œuvre.

Le capitaine Melville avait fini son exposé.

— Merci, capitaine, reprit Jasmin Rivard. En résumé, nous avions donc en face de nous deux pièces très semblables : deux pieds gauches en blanc de Paros dans un état de conservation médiocre, acquis dans des circonstances normales et convenues, présentant chacun un certificat d'authenticité datant de 1832. Cela était plutôt stupéfiant et suggérait la présence d'un faux. Il nous importait donc de tirer rapidement cette affaire au clair et de vérifier l'authenticité de *Fragment de statue en marbre de Paros,* exposé au musée. Monsieur Franchecœur nous a donné son consentement pour que nous puissions ordonner une expertise.

Sur ce, Jasmin Rivard leva les yeux et regarda dans la direction de l'écran pour la première fois.

15 . . . . LES RÉSULTATS

Jasmin Rivard alla se chercher un verre et une carafe d'eau. On aurait pu entendre une mouche voler tant l'attention était à son comble dans les deux salles de réunion. Il revint à la table, glissa quelques mots au capitaine Melville, puis reprit la parole :

— Avant de poursuivre, j'aimerais souligner la présence de Félix et de Léo Valois, de Québec, sans qui nous ne serions sans doute pas réunis aujourd'hui. Je suis ravi que vous ayez pu vous joindre à nous, messieurs. Bien. Si j'ai organisé cette rencontre in extremis, c'est pour une raison simple : je viens de recevoir les résultats des analyses scientifiques auxquelles nous avons soumis *Fragment de statue en marbre de Paros*. Et je désire les partager avec vous.

Léo adressa un sourire timide à Félix, dont les joues étaient cramoisies.

— Vous n'êtes pas sans savoir que, à l'Institut fédéral d'expertise scientifique en œuvres d'art, nous disposons de nombreux services d'expertise : spectrométrie des rayons X, spectroscopie infrarouge, photographie scientifique, pour ne citer que ceux-là, poursuivit Jasmin Rivard. Cependant, les moyens dont nous disposons sont loin de répondre à toutes nos ambitions. C'est pourquoi, dans certaines circonstances, nous avons le bonheur de pouvoir compter sur des partenaires formidables capables de procéder à des analyses plus approfondies. C'est dans cette optique que, une fois nos expertises complétées, j'ai confié l'œuvre au Laboratoire d'études atomiques, qui a bien voulu lui faire subir un test de gammagraphie. Le résultat est très intéressant, comme vous allez le constater.

Pendant que Françoise Delmont et Pierre Fréchette préparaient calepins et stylos, la secrétaire fit irruption dans la salle de Québec avec une pile de photocopies, qu'elle distribua. Au même moment, Rivard projeta une image sur l'écran lumineux à l'aide de son ordinateur.

— Il est temps d'entrer dans le vif du sujet, déclarat-il. Je n'abuserai pas davantage de votre patience. Je vais vous lire, sans plus attendre, le résultat des analyses dont je vous ai fait parvenir une copie.

Analyse de : *Fragment de statue en marbre de Paros,* datant de la période hellénistique (IIIe-Ier siècle avant Jésus-Christ)

Description brève de l'œuvre : pied dépassant d'un himation, sculpté dans un seul bloc de marbre blanc de Paros ; un seul orteil en parfait état de conservation ; certificat d'authenticité délivré en 1832 et identifiant le fragment comme étant celui d'une statue de la période hellénistique.

Analyse géochimique du marbre blanc dont l'œuvre est constituée : les résultats des quatre méthodes utilisées (pétrographie, cathodofaciès, spectres sur les poudres en cathodoluminescence et analyses des isotopes) confirment que la pierre provient des carrières grecques de Paros. *Fragment de statue en marbre de Paros* est taillé dans une seule masse de marbre antique de Paros (de grain moyen et translucide).

Si l'œuvre n'est constituée que d'un seul bloc de Paros, les analyses ont toutefois révélé qu'elle avait été modelée à deux époques différentes :

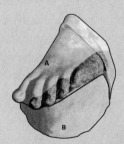

– le modelage de la partie A (sculpture du pied) date du milieu du XIXe siècle après Jésus-Christ ;

– le modelage de la partie B (sculpture des plis de draperie et sillon glutéal) a été réalisé durant l'Antiquité (Ier
siècle avant Jésus-Christ environ).

À noter que le certificat d'authenticité, daté de l'an
1832, n'a pu être soumis à une évaluation scientifique. Il
pourrait l'être ultérieurement, à condition que les experts
le jugent utile (en raison des coûts importants associés à
ces tests).

La partie B de *Fragment de statue en marbre de Paros*
est le modelage le plus ancien. L'analyse approfondie de
la structure révèle une surface sculptée et parfaitement
polie représentant les plis d'une draperie et ce qui ressemble au début d'un sillon glutéal (similaire à ce qu'on
trouve dans les statues de la déesse Aphrodite de l'époque
hellénistique).

L'analyse des qualités esthétiques des deux mode-
lages révèle également la présence de savoir-faire
distincts et d'objectifs artistiques fort différents. La
finesse et la souplesse caractérisent les reliefs de la
partie B, qui sont, de toute évidence, issus d'une statue
d'envergure et de qualité exceptionnelle, et l'œuvre d'un
artiste réputé de l'époque hellénistique. En comparaison,
la partie A (l'ensemble du pied et l'orteil), si elle témoigne
d'une excellente maîtrise de l'art de la taille, ne relève pas
d'un travail d'exception.

Les études radiographiques du fragment de statue
ont permis de déceler, à l'intérieur du bloc de pierre, deux
cavités (partie hachurée) et des traces de matière (lignes
noires), probablement du plomb. Cela indique l'utilisation
de mortaises et de tenons servant à unir deux blocs de

pierre, selon la technique des pièces rapportées communément utilisée au cours de la période hellénistique. La localisation des matières métalliques et des cavités permet de croire que le bloc de pierre dont est fait *Fragment de statue en marbre de Paros* était originellement attaché à un autre bloc de pierre sur sa surface inférieure.

Synthèse des expertises — Institut canadien d'expertise scientifique des œuvres d'art et Laboratoire d'études atomiques

— Voilà, conclut Rivard.

Léo lança un regard interrogateur à Félix. Il était loin d'avoir saisi toutes les subtilités de l'exposé. Félix lui répondit par une moue signifiant qu'il était dans le même cas.

— La technique des pièces rapportées était une méthode utilisée par les sculpteurs depuis la période archaïque, intervint Pierre Fréchette. Elle s'est répandue à l'époque hellénistique. Elle consistait à sculpter une œuvre dans plusieurs blocs de marbre. Tête, bras, buste, corps s'encastraient les uns dans les autres et étaient réunis ensuite à l'aide de tenons métalliques. Cette pratique bien connue facilitait notamment le transport de l'œuvre jusqu'à son lieu d'exposition. Si je comprends ce rapport d'analyse, il révèle, en gros, deux faits. D'une part, ce marbre antique de Paros a été sculpté à deux époques différentes: le modelage du pied date du XIXe siècle, et celui de la partie inférieure, avec les plis de draperie et le sillon glutéal, date de l'Antiquité. Par ailleurs, ce marbre antique de Paros est le fragment d'une statue de la période hellénistique, peut-être une Aphrodite, de grande envergure et de facture exceptionnelle, composée de pièces rapportées, comme en témoignent les traces de tenons et de mortaises.

— En effet, c'est ce que révèle l'analyse de la structure de la matière, acquiesça Buisson, réjoui par la justesse de cette récapitulation.

— Cette œuvre est donc un morceau de statue antique qu'on a trafiqué et sculpté, déclara Françoise Delmont. C'est tout à fait affligeant, d'autant plus que M. Franchecœur a versé une très grosse somme pour l'acquérir.

La directrice des expositions paraissait ébranlée.

— Serait-il possible de mettre en valeur la partie antique de cet objet ? demanda-t-elle à Buisson.

— Non, je ne le crois pas et je ne vous le conseille pas, répondit-il. Vous risqueriez de tout briser. Le jeu n'en vaut pas la chandelle.

— Nous avons voulu rassembler, dans notre exposition *Les marbres de l'Antiquité,* un maximum d'œuvres témoignant de la beauté du blanc de Paros, expliqua-t-elle d'une voix qui témoignait de son embarras. C'est certain que nous ne pouvons pas nous assurer de, comment dirais-je... que nous ne pouvons pas nous permettre de douter des certificats d'authenticité des œuvres que les collectionneurs réputés nous prêtent, sinon nous ne nous en sortirions pas.

— C'est tout à fait compréhensible, souligna Buisson.

— Avez-vous des hypothèses sur la façon dont l'œuvre *Fragment de statue en marbre de Paros* s'est retrouvée sur le marché de l'art ? s'enquit le capitaine Melville en s'adressant à M. Rivard.

— L'hypothèse de Werner, chuchota Stéphane Gagnon en lançant un clin d'œil moqueur à Lise Roth.

Personne ne parut prêter attention à sa remarque, faite en sourdine, et la discussion se poursuivit.

— Il nous serait difficile d'en émettre, capitaine, répondit Jasmin Rivard. Cela dit, nous pouvons d'ores et déjà tirer une conclusion importante : la partie A n'est pas de facture antique. Affirmer que *Fragment de statue en marbre de Paros* est une œuvre de la période hellénistique est une fausseté. La roche est peut-être antique, mais la sculpture ne l'est pas dans son entièreté.

— C'est très clair, bougonna Delmont.

— Nous devrons prévenir M. Franchecœur, soupira Melville.

— Je m'en chargerai si vous le voulez bien, proposa la directrice des expositions.

— Souhaitez-vous que nous procédions à l'analyse du certificat d'authenticité ? lui demanda Buisson.

— Non. Ce n'est pas au musée de défrayer les coûts de tels tests. Vous nous avez déjà apporté la preuve que cette œuvre n'est pas authentique. À la lumière de ces examens approfondis, la vérification de la validité de ce certificat ne présente plus aucun intérêt. Si M. Franchecœur désire le passer aux rayons X, je lui dirai de vous contacter.

— Ce n'est jamais plaisant d'apprendre qu'on a acheté un faux ni que l'œuvre qu'on a choisi d'exposer dans son musée n'est pas celle qu'on croyait, conclut Pierre Fréchette. Cela dit, nous sommes conscients que, même si *Fragment de statue en marbre de Paros* semblait splendide et présentait, a priori, un intérêt artistique justifiant sa place dans notre exposition, ce n'était pas un Praxitèle du musée d'Olympie!

La remarque de Pierre Fréchette, à laquelle Félix et Léo ne comprirent rien, sembla détendre l'atmosphère. Chacun discuta avec son voisin. Stéphane Gagnon et Lise Roth commencèrent à ranger leurs affaires. Selon toute vraisemblance, ils n'avaient été invités à cette réunion que pour prendre des notes. Léo profita du brouhaha pour poser une question à Félix.

— Sais-tu ce qu'est un himation? murmura-t-il.

— J'ai fini par comprendre que c'était une draperie ou une toge, répondit Félix à voix basse.

— Au nom du musée, déclara M. Fréchette, je tiens à vous remercier, monsieur Rivard, monsieur Buisson et capitaine Melville, d'avoir mis à notre disposition ces informations policières, ainsi que ces moyens scientifiques complexes et sophistiqués.

— Oui, merci infiniment, renchérit Françoise Delmont, un peu confuse de ne pas avoir pris l'initiative de ces remerciements.

— C'était notre devoir, souffla Rivard, qui débranchait son ordinateur. L'œuvre était de qualité, et nous avons pris le temps de l'examiner, car cette histoire nous intriguait autant que vous.

— J'attends d'autres renseignements en provenance d'Écosse. Je vous les transmettrai au cours des prochains jours, annonça le capitaine Melville. À la suite des résultats dévoilés aujourd'hui, la famille Edward souhaitera sans doute procéder à des tests sur *L'orteil de Paros*. Vous comprendrez que, étant donné que cette œuvre n'est pas exposée dans un musée et qu'elle appartient à un particulier, nous ne pouvons imposer aux experts écossais de la soumettre à un examen scientifique.

— Merci, monsieur Melville, voici qui clôt cette aventure, précisa Françoise Delmont, impatiente de quitter les lieux. Je vous remercie de votre présence. Nous communiquerons donc par courriel pour la suite. De notre côté, les choses sont claires : *Fragment de statue* est une sculpture modifiée qui n'a plus sa place dans notre exposition !

16 . . . . UNE STATUE CASSÉE

Quatre. C'était le nombre de pages que Félix avait noircies de notes pendant la vidéoconférence !

Félix et Léo passèrent les jours suivants à faire la synthèse des propos importants échangés et à mener diverses recherches pour mieux les comprendre.

Léo s'était donné comme mission de définir plusieurs des termes que les experts avaient utilisés, mais que ni son frère ni lui ne comprenaient : himation, spectrométrie, spectroscopie, gammagraphie, Aphrodite, tenons, mortaises, technique des pièces rapportées, sillon glutéal, pétrographie, cathodofaciès, cathodoluminescence, isotopes, Praxitèle. Il avait appris, entre autres choses, que *sillon glutéal* désignait de manière savante, en vocabulaire anatomique, la... raie des fesses ! Puis, il avait été découragé par les mots techniques relatifs à l'analyse géochimique du marbre de Paros. Après tout, peu importait leur définition, car les analyses avaient livré la vraie nature de *Fragment de statue en marbre de Paros* : c'était un objet rafistolé. La chronologie des événements lui paraissait limpide : cet objet était sans doute une mauvaise copie d'une sculpture originale, *L'orteil de Paros*, acquise par une famille écossaise en 1832. Onésime Franchecœur avait été mystifié comme un amateur en achetant une œuvre modifiée au cours du temps.

Léo rédigea des anecdotes rigolotes sur le marbre et l'Antiquité, pour les intégrer ensuite dans la section des archives documentaires d'*ENIGMAE*. L'histoire de la coquille d'œuf et la découverte de l'existence, chez chaque humain, d'un sillon glutéal méritaient une place sur leur site !

— On est déjà vendredi, bougonna-t-il, le nez collé à son ordinateur. Et on n'a toujours pas de nouvelles à propos de *L'orteil de Paros*, alors que le capitaine Melville avait annoncé pendant la réunion qu'il en attendait bientôt d'Écosse. J'aimerais bien connaître la fin de cette histoire : d'où provient le faux du musée ? Est-ce que le marbre de la sculpture originale cache aussi des trucs bizarres ? Crois-tu que Melville a oublié de nous mettre au courant ?

— J'espère que non ! répondit Félix. À mon avis, c'est normal qu'on n'ait rien reçu encore. Si la famille Edward a décidé de soumettre la sculpture à des tests, elle mettra du temps à obtenir les résultats.

— Qu'est-ce que tu regardes ?

Félix avait insisté pour qu'ils passent à la bibliothèque du quartier après leurs cours. Il avait emprunté trois ouvrages sur l'art. Depuis leur retour, il n'avait pas quitté le canapé sur lequel il s'était allongé, un coussin sous la tête, pour consulter ses trouvailles. Il se redressa et s'assit.

— Bon, commença-t-il. Il y a un truc qui me dérange depuis cette vidéoconférence ! Le rapport des experts précise, à propos de la partie la plus ancienne de la sculpture, qu'elle représente *les plis d'une draperie et ce qui ressemble au début d'un sillon glutéal (similaire à ce qu'on trouve dans les statues de la déesse Aphrodite de l'époque hellénistique)*. Et, plus loin, on peut lire : *La finesse et la souplesse caractérisent les reliefs de la partie B, qui sont, de toute évidence, issus d'une statue d'envergure et de qualité exceptionnelle, et l'œuvre d'un artiste réputé de l'époque hellénistique.*

— Ce n'est pas banal de rencontrer un pied qui a une raie des fesses ! s'esclaffa Léo.

Félix poursuivit ses explications en ignorant la blague de Léo.

— Imaginons que cette partie de la sculpture provient d'une magnifique statue et qu'elle a été réalisée par un artiste réputé de l'époque, comme le suggèrent les experts. Il est possible que le reste de la statue se trouve quelque part et qu'il vienne s'encastrer dans ce truc, selon la technique des pièces rapportées. On peut toujours rêver, non ?

— Donc, tu cherches dans tes livres une statue qui est cassée au niveau des fesses et enroulée dans une draperie, et qui daterait du Ier siècle avant Jésus-Christ ?

— Oui, et qui aurait été sculptée par un artiste réputé...

— ... dans du marbre de Paros.

— Oui.

— Tu ne crois pas que les experts y ont pensé, eux aussi ? demanda Léo.

— Ça n'a pas l'air de les intéresser tant que ça. La sculpture est toute bousillée par le modelage du pied, qui date du milieu du XIXe siècle. À mon avis, des faussaires ont voulu copier *L'orteil de Paros*, qui est une vraie antiquité, et ils ont utilisé un morceau de marbre issu d'une statue antique pour tromper les clients. Dans la mesure où la partie ancienne n'est pas récupérable, les experts se fichent de savoir d'où provient ce morceau de marbre. Tout ce qui leur importe, semble-t-il, c'est de retirer le faux machin du musée !

— C'est vrai, reconnut Léo. Françoise Delmont semblait avoir un peu honte que son ami, le roi de la botte, lui ait refilé un citron à mettre dans sa vitrine !

Félix éclata de rire.

— J'ai commencé à dresser la liste des sculpteurs réputés du Ier siècle avant Jésus-Christ, expliqua-t-il. Je suis déçu, parce que je n'en ai pas trouvé beaucoup : Athanadoros, Polydore, Agésandros…

— Je peux t'aider ?

— Oui ! Ça m'arrangerait si tu pouvais fouiner dans Internet pour repérer des photos de fragments de sculptures représentant la déesse de l'amour, Aphrodite. On dirait que ce genre de statue était à la mode à cette époque. Et puis, le rapport d'expertise en fait mention.

— Super ! s'exclama Léo.

Il se mit aussitôt au travail, heureux de se voir offrir une nouvelle mission. Quant à Félix, il quitta ses livres et revint à son bureau pour mener des recherches à l'ordinateur. Trois quarts d'heure s'écoulèrent ainsi, dans le silence le plus absolu.

— J'ai trouvé l'Aphrodite de Cnide de Praxitèle, déclara enfin Léo. Mais elle n'est pas cassée. Elle est toute nue et n'a pas de draperie autour des fesses. Zut, Praxitèle est mort vers 320 avant Jésus-Christ; les dates ne concordent donc pas. J'ai une Aphrodite à la colombe, à laquelle il manque une tête, mais elle date de 530 avant Jésus-Christ. Il y a la Vénus de Callimaque, mais elle a été sculptée à la fin du Ve siècle avant Jésus-Christ. J'ai un torse d'Aphrodite, mais il est en bronze. Attends, il y a une autre Aphrodite en marbre. Ah, non, c'est une copie de l'époque de la Renaissance!

Une heure passa. Félix et Léo firent une courte pause pour souper. Puis, ils se replongèrent dans leurs explorations. Max et Diane les laissèrent à leur passion — les mystères de la science et de l'histoire —, car ils n'avaient pas d'école le lendemain.

— J'ai aussi l'Aphrodite d'Éros, annonça Félix, mais elle date du IIIe siècle avant Jésus-Christ, et une Vénus accroupie, mais elle est en bronze. C'est débile!

— Félix, j'ai tapé *Aphrodite* et *Paros* dans le moteur de recherche! déclara soudain Léo, excité. Je n'ai obtenu qu'une seule réponse: la Vénus de Milo, appelée aussi l'Aphrodite de Paros. Elle est super-connue. Elle date du Ier siècle avant Jésus-Christ. Elle a du tissu autour des fesses et elle est faite en marbre blanc de Paros.

— Hein ? s'exclama Félix, abasourdi. La Vénus de Milo ?

— Oui, tu connais ?

— De nom, oui ! Je crois qu'on parle d'elle dans l'un des trois ouvrages que j'ai empruntés à la bibliothèque. Attends !

Il se leva avec précipitation pour chercher le livre en question et décida de se réinstaller sur le canapé pour le consulter. Léo le rejoignit aussitôt. Après quelques minutes, Félix pointa le doigt vers la photographie d'une statue.

— Elle est belle, murmura Léo.

Quatre pages étaient consacrées à cette déesse en marbre, et des images la montraient sous tous les angles. Elle paraissait immense. Le bas de son corps était enroulé dans une draperie, et le haut, dénudé. Elle n'avait plus de bras : le droit semblait avoir été coupé au-dessus du coude, et le gauche paraissait déboîté au niveau de l'épaule. On apercevait des traces de mortaise, ce qui indiquait que l'œuvre avait été conçue en plusieurs morceaux, selon la technique des pièces rapportées. Un pied dépassait du bas de l'himation ; l'autre disparaissait sous le tissu, à moins qu'il ait été cassé. Le visage de la statue était magnifique, et ses cheveux relevés en chignon, d'une délicatesse étonnante.

— C'est dommage qu'il ne lui manque pas la raie des fesses ! dit Félix en rigolant.

Le tissu qui enveloppait les hanches de la Vénus tenait comme par magie ! En bas de son dos, on apercevait le sillon glutéal.

Cette statue en marbre dégageait une puissance formidable…

Le texte du livre rapportait l'histoire de cette déesse. L'Aphrodite de Paros, dite Vénus de Milo, avait été découverte sur l'île grecque de Mélos — Milo, en langue grecque moderne — en 1820. Elle pesait une tonne, et elle était principalement constituée de deux blocs de marbre blanc de Paros rattachés par des tenons métalliques au niveau des hanches. Ses bras n'avaient jamais été retrouvés. On disait que cette statue avait toujours fasciné le monde par sa grâce et par son mystère. Elle était exposée au musée du Louvre, à Paris, depuis 1821, et jouissait d'une notoriété mondiale depuis sa découverte.

C'est dans un champ de l'île de Milo qu'un paysan grec du nom de Yorgos l'avait trouvée alors qu'il cherchait des pierres pour construire un mur. Sa trouvaille fut rendue publique grâce au dessin qu'en fit un élève de la marine française, Voutier, qui se trouvait à Milo au même moment. Par la suite, la France dépêcha en Grèce un secrétaire d'ambassade, le comte Marie-Louis-Jean-André-Charles de Martin du Tyrac Marcellus, vicomte de Marcellus ! Ce diplomate et homme de lettres français fut chargé de traiter avec le détenteur du vestige. Après des démarches suspectes, la Vénus de Milo finit par embarquer sur le bateau de Marcellus, qui l'amena en sol français. Elle fut acheminée vers Paris, et offerte par le marquis de Rivière au roi Louis XVIII, en 1821. Celui-ci en fit don au Louvre.

Le livre n'indiquait pas le nom de son sculpteur. Félix et Léo menèrent des recherches dans Internet pour le trouver : ils désiraient savoir s'il avait créé d'autres statues.

— Sur ce site, déclara Félix, qui venait de pointer sa souris vers une nouvelle information, on dit que la Vénus de Milo est l'œuvre d'un artiste originaire de la Grèce d'Asie Mineure, dont la carrière s'est étendue des années 120 à 80 avant Jésus-Christ.

— Écoute ça, l'interrompit Léo. *L'attitude énigmatique de cette statue a donné lieu à de nombreuses hypothèses : certains pensent que la Vénus est appuyée contre un pilier, et d'autres, qu'elle tient divers attributs ; d'autres, enfin, croient que cette œuvre fait partie d'un ensemble de statues (hypothèse de Werner).*

— Et alors ? demanda Félix.

— Tu ne te souviens pas que, pendant la vidéoconférence, au moment où le capitaine Melville a demandé à Rivard s'il avait des hypothèses, Stéphane Gagnon a fait une farce à l'intention de Lise Roth en parlant de l'hypothèse de Werner ?

— Peut-être.

— J'en suis sûr ! Il faut qu'on sache ce que c'est !

Quinze minutes de navigation dans Internet suffirent à Léo pour mettre la main sur la mystérieuse hypothèse. Il s'agissait du compte rendu d'une conférence publique qui avait eu lieu au Louvre en 1955.

17 . . . . WERNER

Compte rendu de la conférence de l'archéologue Werner ayant pour thème « Geste de la Vénus de Milo : analyses et proposition », musée du Louvre, Paris, 1955

Il y a un point sur lequel historiens et archéologues s'entendent : la Vénus de Milo ne possédait pas de bras lorsque, le 8 avril 1820, elle a été découverte par un paysan dans la terre de cette île des Cyclades.

Comme en témoigne la présence de mortaises, les bras de la célèbre statue ont été sculptés à part. Il ne faut pas s'en étonner : d'autres preuves confirment l'utilisation, par ses sculpteurs, de la technique des pièces rapportées.

Dans sa conférence, Werner a dressé une liste surprenante des propositions nombreuses, et parfois farfelues, qui ont été formulées au cours des années pour compléter la statue et interpréter le geste de ses bras, malgré leur absence :

– la Vénus de Milo porte un arc dans la main gauche ;

c'est une Danaïde qui répand l'eau d'une amphore ;
– elle est ailée et elle symbolise la victoire ;
– elle brandit une trompette ;
– elle tient un bouclier le long de son flanc gauche ;
– c'est Amphitrite, l'épouse de Poséidon, le dieu de la mer,
   et elle serre la hampe du trident de sa main gauche ;
– elle joue de la lyre, à la mode des figurines d'argile ;
– elle contemple sa beauté dans un miroir ;
– elle file et dévide sa quenouille ;
– c'est une guerrière, et elle a une pique à la main ;
– baigneuse surprise à la sortie du bain, elle tente de
   cacher sa nudité, etc.

Au cours de l'histoire, certains ont même osé ajouter des artifices à cette statue afin de corroborer leur thèse. On l'a affublée de faux bras, d'un arc...

Ce qui semble faire l'unanimité aujourd'hui, c'est que cette statue représente Aphrodite (Vénus, pour les Romains), la déesse de l'amour. L'exaltation de la beauté du corps féminin, palpable dans ses contours d'une remarquable clarté, correspond à ce que nous connaissons des images de Vénus. La composition audacieuse du corps et le glissement du drapé sur les hanches font de cette sculpture l'un des chefs-d'œuvre de la fin de l'époque hellénistique.

Voici plusieurs années que l'archéologue Werner peine à recouper toutes les hypothèses pour comprendre le geste de la belle Aphrodite. C'est avec un bonheur et une assurance non dissimulés qu'il expose les résultats de ses derniers travaux.

Il dit avoir examiné les fragments trouvés avec la statue : la main à la pomme, les deux piliers hermaïques, les deux socles et leur inscription (« Théodoridas, fils de Laistratos, au dieu Hermès »). Il a étudié de multiples autres fragments — notamment de bras, de colonnes, de mains, de socles, de draperies et de frises —, ainsi que les marques visibles sur le marbre, dans le dos de la statue et sur sa tête. Puis, il a décomposé la Vénus en figures géométriques, avant de s'engager corps et âme dans de savants calculs d'arithmétique et de perspectives.

L'archéologue a comparé point par point la position des épaules et les angles du corps de la Vénus avec les positions et les angles du pied droit, des socles et de la nuque. Ses conclusions sont sans équivoque : l'un des bras de la déesse était plié vers le haut (le bras gauche), et l'autre, placé le long de son flanc (le bras droit).

Plus étonnant encore : l'analyse de tous les fragments de la statue, des carnets de voyage d'un aventurier et de certaines entrevues d'époque a permis à Werner d'avancer l'hypothèse qu'il y avait, à l'origine, trois Vénus de Milo. Elles avaient une position semblable à celle de la sculpture grecque antique intitulée *Danseuses de Delphes* (Delphes, IVe siècle avant Jésus-Christ). Werner a décrit l'ensemble en ces termes : les statues, adossées à la colonne d'un temple qui est d'une hauteur totale de douze mètres environ et qui est surmontée d'un chapiteau, semblent suspendues en l'air, le bras levé ; la colonne et le chapiteau scellés dans leur dos et au-dessus de leur tête servent de support à un trépied colossal portant une urne en bronze.

L'hypothèse de Werner, qui s'ajoute à toutes les autres sans être plus convaincante, a, bien sûr, soulevé un tollé dans la salle de conférence. Devant ce qui semblait être un assemblage de preuves disparates, des professeurs réputés ont quitté leur siège. La nouvelle farfelue de la présence, dans les ruines de Milo, de deux autres statues semblables à la Vénus de Milo — alors qu'en fait aucune autre œuvre de cette ampleur n'a jamais été retrouvée ni sur Milo, ni sur aucune île des Cyclades, ni en Grèce continentale! — montre, encore une fois, que la belle Aphrodite n'a pas fini de faire couler de l'encre. Le propre des chefs-d'œuvre est bel et bien de faire chercher les chercheurs et rêver les rêveurs.

S'il est doux de se laisser inspirer par la Vénus de Milo, par ses courbes audacieuses et par la pureté de son marbre de Paros, il ne faut pas oublier pour autant de rechercher rigoureusement la vérité historique. Les maîtres de l'Antiquité ont eu la bonté de nous faire entrevoir la grandeur de leur talent. Nous devons nous en montrer dignes et faire preuve de prudence dans l'interprétation de leurs œuvres. Le travail de Werner a le mérite de rassembler toutes les hypothèses sur le mystère du geste de la Dame de Beauté; il présente néanmoins le défaut accablant de nous en proposer une nouvelle.

18 . . . . LA THÈSE

Félix ne tenait plus en place. La lecture de cet article l'avait exalté.

— Si Werner a raison, cela pourrait signifier que notre marbre antique *Fragment de statue en marbre de Paros* est un morceau de la hanche d'une des deux Vénus disparues, s'exalta-t-il.

Léo resta muet. Il était abasourdi. Félix se replongea dans les photos montrant la Vénus de Milo sous tous les angles. Il examina son visage, sa nuque, son buste, son pied droit qui dépassait de l'ourlet de son himation, son dos, le drapé autour de ses hanches, son sillon glutéal.

— Beaucoup d'éléments concordent avec cette thèse, qui peut paraître loufoque, poursuivit-il sur un ton enflammé. Souviens-toi du rapport d'expertise : les traces de plomb, de tenons et de mortaises qui témoignent de la technique des pièces rapportées ; le drapé, les qualités esthétiques exceptionnelles du modelage, le marbre de Paros, la référence à une Aphrodite, la datation du

Ier siècle... En plus, le certificat d'authenticité remonte soi-disant à l'année 1832, c'est-à-dire à peu de temps après la découverte de la Vénus de Milo.

— Ouais, lâcha Léo, qui semblait perdu.

— Imagine que Werner a raison et que les deux autres Vénus ont été volées, réexpliqua Félix. Une des statues se serait cassée, et un faussaire aurait utilisé un de ses fragments pour imiter une œuvre, *L'orteil de Paros*. Cela expliquerait que, dans *Fragment de statue en marbre de Paros*, il y ait une partie sculptée durant l'Antiquité — la hanche d'une des Vénus — et une partie sculptée au XIXe siècle — le pied et l'orteil.

— Il faudrait être sûr que cette hypothèse tienne la route, confia Léo, un peu découragé. Stéphane Gagnon semblait la trouver pas mal amusante.

— Tu as raison, soupira Félix, songeur.

Si *Fragment de statue en marbre de Paros* était encore présenté au musée, ils auraient pu aller contempler de plus près la partie de l'objet sculptée durant l'Antiquité pour la comparer aux hanches de la Vénus de Milo dont ils possédaient des photographies. Mais l'œuvre avait été retirée, comme l'avait constaté Diane, qui avait revisité l'exposition avec une amie. Par ailleurs, ce n'était probablement pas à l'œil nu que Félix et Léo auraient pu repérer ce qu'une analyse approfondie de la structure avait révélé aux experts.

— Dans ce texte sur Werner, remarqua Léo, c'est écrit: *L'analyse de tous les fragments de la statue, des carnets de voyage d'un aventurier et de certaines entrevues d'époque a permis à Werner d'avancer l'hypothèse qu'il y avait, à l'origine, trois Vénus de Milo.* Si on mettait la main sur ces carnets de voyage et sur ces entrevues d'époque, on trouverait peut-être d'autres pistes.

— Léo, tu es génial ! s'emballa Félix.

Ils se partagèrent les tâches et les recherches dans Internet. Félix devait dénicher des carnets de voyage datant de l'époque à laquelle la Vénus de Milo du Louvre avait été découverte dans l'île des Cyclades. Quant à Léo, il devait explorer les archives de vieux journaux et d'anciennes revues d'archéologie numérisées et consultables en ligne pour découvrir des entrevues traitant de l'Aphrodite.

Max les aida. Ils utilisèrent des mots clefs, mais Internet ne leur révéla pas beaucoup de trésors. Les choix de réponse étaient minces, probablement en raison de l'ancienneté de la période sur laquelle ils enquêtaient.

Félix tomba sur les extraits d'un livre intitulé *Souvenirs d'Orient*, écrit par le vicomte de Marcellus, dont ils connaissaient l'existence grâce au livre rapporté de la bibliothèque. Le vicomte, qui était allé chercher la Vénus de Milo en Grèce pour la ramener en France, avait raconté son périple. Félix passa toute la journée du samedi à lire ses souvenirs, sans repérer aucun indice confortant l'existence des trois Vénus...

Puis, il découvrit un texte en ligne : *Carnets de Grèce*, daté de 1852. Il s'agissait du récit du voyage de Marie-André-François de Botard, un dessinateur parti en Grèce pour ramener des esquisses de vestiges antiques. Au même moment, grâce à une intuition de Max, Léo mit la main sur une entrevue parue en 1839 dans une ancienne revue, le *Bulletin de l'Institut français d'études archéologiques grecques.*

Nul doute que ces deux documents auraient ravi Werner.

CARNETS DE GRÈCE, 1852

par Marie-André-François de Botard, dessinateur

« Le soir de notre départ, le vent du nord nous fut très favorable, et notre vaisseau dépassa le cap avant la nuit, laissant derrière lui les îles de Tine et de Marconi.

Le matin du 23, j'étais de fort bonne heure dans ma chaloupe qui me menait vers le rivage de Délos. L'île aux pentes douces était minuscule et inhabitée depuis longtemps. La terre aride ne cachait ni orangers, ni jardins, ni palais de marbre, mais elle était couverte de roches et de broussailles. Elle ressemblait à un désert.

Les ruines étaient nombreuses, et des colonnes jonchaient le rivage. J'errai de temple en théâtre, ému de respirer l'air de ce lieu sacré depuis le XIV siècle avant Jésus-Christ... Délos avait vu la naissance du culte d'Apollon et d'Artémis, et de leur mère, Léto. L'île était devenue un centre religieux et commercial puissant de la Grèce antique, avant d'être pillée, abandonnée des dieux de l'Olympe.

Je fis le tour des lieux, faisant au passage le croquis des vestiges si souvent décrits. Partout, les pierres s'entassaient. Les ruines dégringolaient des collines, et des débris de marbre jaillissaient des herbes folles. Puis, nous mîmes les voiles sur Milo.

L'île de Milo avait attiré peu de visiteurs au cours des siècles, et peu d'archéologues. En 1814, un théâtre de marbre y fut découvert, suscitant la curiosité des marchands d'antiquités. Aujourd'hui, elle fournit des pilotes aux vaisseaux européens qui naviguent dans les mers grecques. Et, surtout, son nom est célèbre grâce aux bons soins du vicomte de Marcellus et de sa noble statue.

L'ancienne Mélos, située sur une colline regardant vers l'entrée de la rade, au sud du village de Castro, était cachée sous les ruines de remparts et de vastes édifices renversés. Le sol n'était qu'un amas de débris.

C'était dans un champ non loin de là, près d'anciennes grottes, qu'un paysan du nom de Yorgos, occupé à bêcher, avait heurté un bloc de pierre avec son fer, au mois de février 1820. Il déblaya la petite niche enfoncée à plus d'un mètre dans le sol et trouva pêle-mêle des fragments de socle et de marbre, et le buste d'une statue magnifique, qu'il transporta aussitôt à son étable. En continuant ses recherches, il découvrit la partie inférieure de la statue.

La suite est fort connue, puisque la célèbre Vénus de Milo est en sol français depuis le mois de novembre 1820 : elle fut offerte le premier du mois de mars 1821 au roi Louis XVIII, qui en fit don au Louvre. Quelques mois — et beaucoup de boniments — avaient suffi pour l'amener des profondeurs rocailleuses de cette petite île grecque, perdue au milieu de la mer Égée, aux marches somptueuses du palais du Louvre.

Je ne résistai pas à l'attrait de me faire raconter cette histoire fameuse par un vieil homme de la région qui avait connu Yorgos. J'appris que, en fouillant la terre, l'illustre paysan grec avait aperçu d'autres bustes, plus profondément enfouis dans la terre, mais il ne les retrouva pas lorsqu'il reprit ses recherches quelques jours plus tard.

Était-ce une fable ou la vérité ? Quoi qu'il en soit, le pillage des beautés grecques est déplorable. Que la France ait pu participer à ce désastre organisé demeure une énigme à mes yeux.

Bien heureux de préférer les affres du dessin à celles de l'archéologie, je passai les jours suivants à errer sur l'île. Je fis d'excellents croquis des vestiges du théâtre, des mosaïques colorées et de la pierre polie étincelante surgie des taillis. Puis, le vent se montra plein de promesses, et notre vaisseau leva de nouveau les voiles, quittant Milo et ses mystères pour gagner d'autres cieux. »

Rencontre du professeur Lucien Panneton, historien de l'art, avec Yannis Coyannis, marchand et spécialiste du marbre (Athènes) — Entrevue parue dans le Bulletin de l'Institut français d'études archéologiques grecques, *1839*

Le professeur Panneton : *Monsieur Coyannis, c'est un honneur de pouvoir s'entretenir avec vous, et je vous remercie d'avoir accepté cette invitation. Je commencerai par cette question, puisque nous avons le privilège de rencontrer un expert en la matière : quel est, selon vous, le plus grand sculpteur de la Grèce antique ?*

Yannis Coyannis : *Ma foi, il y en a plusieurs, et il serait bien malaisé de n'en choisir qu'un seul. Pensez à Polyclète d'Argos, à Phidias, à Praxitèle, à Scopas de Paros, à Léocharès et à Lysippe, et aussi au groupe de Laocoon : Polydoros, Agésandros et Athanadoros. Mais l'un des chefs-d'œuvre les plus admirables demeure, à mes yeux, l'Aphrodite de Cnide, qui a été sculptée par Praxitèle et qui date du IVᵉ siècle avant notre ère.*

Prof. Panneton : *La sculpture est ce que nous connaissons le mieux de l'art grec antique. Comment expliquer cela ?*

M. Coyannis : *Elle est peut-être ce qui symbolise le mieux la perfection plastique et le beau idéal. Par ailleurs, si vous me permettez de rectifier votre propos, je dirais que nous croyons la connaître plus que nous ne la connaissons vraiment... Seule une faible partie de la production a traversé les âges. C'est une triste réalité : les plus grands chefs-d'œuvre de l'Antiquité nous demeureront inconnus.*

Prof. Panneton : *Que voulez-vous dire ?*

M. Coyannis : *Beaucoup ont disparu, et ceux qui ont su traverser les âges ont parfois subi des mutilations importantes. Nous connaissons la sculpture grecque antique surtout à la lumière des copies plus ou moins réussies de l'époque romaine ou des restaurations entreprises par des sculpteurs occidentaux des époques suivantes. Ce qui pose problème, c'est la fidélité de ces copies et de ces restaurations, qui ont souvent donné aux œuvres un sens bien différent de celui d'origine : on a ainsi transformé la sculpture d'un athlète en celle d'un guerrier, on a greffé les bras de telle statue sur le buste de telle autre, on a métamorphosé telle divinité en telle autre, etc. Je pourrais vous citer des exemples par dizaines !*

Prof. Panneton : *Est-il vrai que le plus célèbre des marbres de l'Antiquité était extrait de l'île de Paros ?*

M. Coyannis : *Effectivement. Ce marbre avait la préférence des artistes. Son blanc éclatant, sa pureté absolue, son teint de nacre, sa capacité d'être poli à la perfection et sa transparence le distinguent de tous les autres.*

Prof. Panneton : *N'a-t-il donc aucun défaut ?*

M. Coyannis : *Loin de là, en fait ! Mais c'est justement la raison pour laquelle nous devons chérir les chefs-d'œuvre qui nous viennent du fond des âges ! Le marbre de Paros peut s'égrener facilement, et il présente de nombreuses fissures dans ses couches. Ces fissures ne permettent pas d'obtenir des blocs de pierre de plus d'un mètre cinquante de longueur. Le marbre de Paros ne pouvait être employé pour réaliser des statues plus grandes que nature, à moins que celles-ci fussent composées de plusieurs pièces.*

Prof. Panneton : *Vous avez eu l'immense privilège de visiter les carrières de Paros, il y a quelques semaines. Pouvez-vous nous en parler un peu ?*

M. Coyannis : *Ah, il y aurait tant à dire sur le sujet ! Les carrières antiques les plus fameuses sont situées sur le mont Marpese. Elles existent encore et servent de pâturage aux troupeaux. On les reconnaît grâce aux amoncellements formidables de déblais provenant de l'intérieur des carrières ou du dégrossissage des blocs. L'entrée est d'abord assez vaste, puis elle va en se rétrécissant... Rapidement, ce n'est plus qu'à plat ventre et à la lueur vacillante de bougies qu'il est possible de progresser dans ce boyau inquiétant, aux senteurs âcres. Après avoir rampé sur une distance équivalant à une cinquantaine de pas, on arrive enfin au fond de la carrière, dans un espace assez grand, aux parois marquées de tailles. L'esprit est alors transporté à l'époque antique des travaux d'esclaves, que l'extraction et le transport des blocs exigeaient... Une émotion sans pareille se dégage de ces lieux.*

Prof. Panneton: *Cela semble merveilleux… Vendez-vous des marbres de Paros dans la boutique d'antiquités que vous possédez à Athènes?*

M. Coyannis: *Oui. J'ai plusieurs œuvres, qui sont des copies datant de l'époque de la Renaissance. Depuis quelques années, de nombreux collectionneurs provenant de tous les pays du monde cherchent à acquérir des marbres antiques de Paros, qui jouissent d'une vogue considérable.*

Prof. Panneton: *Selon vous, la découverte de la Vénus de Milo, en 1820, a-t-elle favorisé cette mode?*

M. Coyannis: *Certainement! Cet événement majeur a mis en valeur la beauté exceptionnelle et la grâce envoûtante de l'art hellénistique, et les qualités du marbre de Paros. Il a entraîné — et il entraîne encore — une ruée vers le marbre blanc… ainsi qu'une recrudescence de la criminalité, il faut bien l'avouer. Certains fraudeurs mettent sur le marché des marbres blancs ou des calcaires compactés, en prétendant qu'il s'agit de marbre de Paros; ils délivrent de faux certificats d'authenticité émis par des experts en art très suspects. Je pourrais vous raconter de nombreuses anecdotes à ce propos. Par exemple, quelques années après la découverte de la Vénus de Milo, j'ai reçu à ma boutique la visite d'un aventurier qui souhaitait me vendre un buste certifié authentique. Le certificat était faux. Quelques années plus tard, un couple très riche a tenté de faire commerce, sans certificat, de fragments d'une statue qui avait été démantelée, mais qui était pareille à la Vénus. Je n'ai même pas eu le temps d'expertiser les pièces: le couple a disparu dans la nature! Les exemples ne manquent pas, hélas! Des bandits volent des statues des chantiers de fouilles archéologiques ou des musées,* et ils les démantèlent pour utiliser le marbre antique; ils fabriquent une multitude de fausses œuvres, plus petites, qu'ils écoulent à prix d'or sur le marché. Et nombre d'ignorants se laissent duper.

Prof. Panneton: *Ma foi, voilà qui est fort inquiétant! Que faudrait-il faire, selon vous, pour défendre les trésors antiques de la Grèce?*

M. Coyannis: *Je crois qu'il serait nécessaire de mettre en place une nouvelle procédure capable de contrôler ce qui se passe sur nos terres et sur l'ensemble des chantiers de fouilles. Nous devons exercer une vigilance extrême.*

Prof. Panneton: *Monsieur Coyannis, au nom de l'Institut, je vous remercie infiniment pour cet entretien, en espérant de tout cœur que votre appel à la vigilance sera entendu.*

19............LE MESSAGE

La lecture de ces deux documents transporta Félix et Léo bien loin du sous-sol de leur maison et des ruelles enneigées de la ville de Québec.

Ils demeurèrent silencieux durant de longues minutes. Personne n'aurait su dire s'ils tentaient de décrypter les révélations de Yannis Coyannis ou si leur esprit errait parmi les vestiges antiques surgis des broussailles des Cyclades que venait de leur décrire Marie-André-François de Botard.

— Ça alors! murmura enfin Léo.

— C'est débile, renchérit Félix, dont les yeux bleus brillaient tels des saphirs.

— L'hypothèse de Werner pourrait être valable.

— C'est sûr, s'enthousiasma Félix. À en croire ces témoignages, le paysan grec aurait aperçu plusieurs bustes à l'endroit où il a déterré la Vénus de Milo. Et ce que raconte ce marchand grec, Yannis Coyannis, est fascinant ! Il dit qu'un aventurier a voulu lui vendre une statue qui ressemblait à la célèbre Vénus et qui était dotée d'un faux certificat d'authenticité. Et puis, un couple très riche a tenté de lui refiler les fragments d'une statue démantelée pareille à l'Aphrodite. Tu imagines ?

— Ça signifie que notre thèse selon laquelle le *Fragment de statue en marbre de Paros* pourrait être un morceau de hanche d'une des statues disparues tient la route !

— En tout cas, elle n'est pas complètement farfelue.

— On devrait écrire à Stéphane Gagnon et à Lise Roth, les chargés de projet du musée, pour tout leur expliquer. On verra bien leur réaction !

— Excellente idée ! convint Félix.

Il n'était pas facile de résumer l'histoire sans passer pour des fous. Félix et Léo devaient user d'adresse pour présenter la réflexion qui les avait menés jusqu'à considérer l'hypothèse de Werner avec sérieux. Félix commença la rédaction du texte, puis Léo prit la relève. Ensuite, ils le retravaillèrent à maintes reprises. Le résultat n'était pas parfait, mais il avait le mérite d'être clair.

Bonjour, Lise et Stéphane,

Nous sommes Félix et Léo Valois, et nous avons participé à la vidéoconférence, l'autre samedi, à propos de l'œuvre Fragment de statue en marbre de Paros.

À la suite de cette réunion, on a mené plusieurs recherches, et on aimerait vous parler de nos découvertes :

— On pense que Fragment de statue en marbre de

Paros *est une copie de l'œuvre originale* L'orteil de Paros, *achetée en Grèce par la famille écossaise en 1832.*

— *La partie la plus ancienne de* Fragment de statue en marbre de Paros *a les caractéristiques suivantes: elle possède des qualités esthétiques exceptionnelles; elle date du Ier siècle avant Jésus-Christ; elle est l'œuvre d'un sculpteur réputé; elle a un sillon glutéal qui fait penser à certaines statues d'Aphrodite; elle contient des traces de plomb, de tenons et de mortaises; elle a été sculptée selon la technique des pièces rapportées; elle renferme des tenons métalliques au niveau des hanches; son marbre provient des carrières antiques de l'île de Paros.*

— *Selon l'hypothèse de Werner (on a consulté un article à ce sujet dans Internet), il est possible que des statues semblables à la Vénus de Milo aient existé. D'ailleurs, on a trouvé deux documents très, très intéressants qui le confirment:* Carnets de Grèce, *écrit par Marie-André-François de Botard en 1852, et une entrevue avec Yannis Coyannis (un marchand grec) datant de 1839. On vous envoie ces deux textes en fichiers joints.*

— *Voici ce qu'on croit:* Fragment de statue en marbre de Paros *est une copie de* L'orteil de Paros *que les voleurs auraient réalisée à partir d'un morceau (la hanche et le bas du dos) d'une des Vénus de Milo volées. Ils auraient aussi copié le certificat d'authenticité de* L'orteil de Paros, *qui date de 1832. Ils auraient démantelé les statues volées, trop grosses et trop difficiles à revendre, pour utiliser le marbre antique et sculpter plein de fausses petites œuvres, dans le but de les revendre sur le marché de l'art et de gagner beaucoup d'argent.*

Félix et Léo Valois

Félix et Léo furent bien fiers de leur message, même s'ils trouvaient qu'il finissait un peu sèchement. Dès le dimanche matin, après une dernière relecture, ils l'envoyèrent à l'attention des chargés de projet du musée.

C'est en revenant de l'école le lundi qu'ils découvrirent la réponse de Stéphane. Elle était très courte, hélas !

Bonjour, Félix et Léo,

On vous remercie de votre message. De toute évidence, vous n'avez pas reçu celui du capitaine Melville à propos de L'orteil de Paros. On vous le transmet.

Dommage pour vous, archéologues en herbe, car vous aviez de bonnes idées ! Bravo pour vos recherches !

Stéphane

P.S.: On connaît un peu l'hypothèse de Werner, le texte de Botard et l'entrevue de Coyannis. Comme personne n'a jamais mis la main sur une statue ni sur un fragment qui ressemblent de près ou de loin à la Vénus de Milo, cette hypothèse demeure du domaine du rêve et ne peut être prise au sérieux.

20.............. L'ENQUÊTE

Félix et Léo échangèrent un regard qui en disait long sur leur déception. Le capitaine Melville avait donc oublié de leur transmettre les nouvelles... Et celles-ci détruisaient leurs hypothèses, selon Stéphane. Il y avait de quoi être contrarié !

Léo imprima deux copies du message de Melville et en donna une à Félix. Désappointés, ils s'assirent tous deux au fond du canapé pour découvrir ce qui allait mettre un terme à leur enquête...

Bonjour à tous,

Voici, comme convenu, des nouvelles concernant notre enquête sur les œuvres L'orteil de Paros *et* Fragment de statue en marbre de Paros. *Vous le constaterez vous-même, elles sont importantes.*

Premièrement, à propos de L'orteil de Paros, *les expertises scientifiques auxquelles la famille Edward n'a pas manqué de soumettre son œuvre sont unanimes : l'ensemble de l'œuvre est le résultat d'un travail de faussaires ;*

le marbre blanc ne provient pas de l'île grecque de Paros, mais d'une carrière du bassin de Carrare, en Italie : c'est un marbre calacatta ; l'analyse radiographique de cette roche n'a révélé aucun corps étranger dans la matière ; et les outils utilisés pour la taille sont modernes (XXe siècle). Rien de cette pièce ne provient de la période antique.

S'il fallait donc dire, à la lumière de ces résultats, laquelle de ces deux œuvres est la plus authentique, c'est Fragment de statue en marbre de Paros qu'il faudrait nommer.

Deuxièmement, l'examen du papier, des procédés et des encres utilisées de même que l'analyse aux rayons X ont permis de révéler que les deux certificats d'authenticité — celui de L'orteil de Paros et celui de Fragment de statue en marbre de Paros — sont des faux. Ils n'ont pas été rédigés en 1832, mais dans les années 1950 à 1990.

Troisièmement, voici les faits tels que nous les avons reconstitués en rassemblant tous les éléments de l'enquête :

Nous sommes dans les années 1820-1830, en Grèce. La découverte de l'existence de richesses archéologiques et de vestiges donne lieu à une véritable ruée vers les objets antiques.

Un réseau de faussaires entreprend de créer une série d'œuvres et de les écouler à prix d'or sur le marché de l'art : à partir de morceaux de marbre antique provenant de statues cassées, ils créent plusieurs sculptures de petite envergure pour accroître leurs profits relatifs à chaque objet vendu. L'orteil de Paros est taillé dans un morceau de marbre antique de Paros provenant d'une belle statue cassée. Il est doté d'un faux certificat d'authenticité (au nom de L'orteil de Paros) *et vendu en 1832, sous ce nom inventé, à un riche collectionneur d'Édimbourg, sir Edward, qui l'expose dans sa maison. La sculpture ne quitte pas la demeure familiale écossaise — occupée aujourd'hui par Belinda Edward, la descendante de sir Edward.*

En 1985, un vol est perpétré dans la demeure écossaise : le marbre antique, son certificat et des bijoux de grande valeur sont dérobés. Le crime est déclaré à Interpol.

Les malfaiteurs brésiliens qui se sont emparés de L'orteil de Paros *croient avoir affaire à une sculpture authentique. Ils en font faire une copie et une copie du certificat, qu'ils destinent à une petite galerie d'art dans la banlieue de Los Angeles. Ils expédient ces copies vers Los Angeles, via le Mexique. Celles-ci sont interceptées aux douanes. Croyant avoir retrouvé* L'orteil de Paros, *les douaniers restituent la sculpture aux Edward.*

Après cette péripétie, les criminels brésiliens, qui possèdent toujours L'orteil de Paros *acquis par Edward et qui sont persuadés qu'il s'agit d'une œuvre authentique, prennent leurs précautions. Ils falsifient le certificat d'authenticité et changent le nom de l'œuvre pour* Fragment de statue en marbre de Paros.

Je vous précise que, à l'époque, la base de données d'Interpol sur les œuvres d'art volées n'était ni publique ni consultable en ligne.

Grâce à leur réseau, les criminels brésiliens mettent la sculpture en vente dans une galerie de São Paulo. C'est là qu'Onésime Franchecœur en fera l'acquisition en 1993, avec un certificat daté de 1832, mais rédigé entre 1985 et 1990.

Voilà pourquoi l'original de L'orteil de Paros, *qui est un faux à la base, s'est retrouvé à Québec, et pourquoi la copie brésilienne s'est retrouvée en Écosse.*

C'est grâce à l'analyse des dossiers des polices de São Paulo, d'Athènes et de Los Angeles, et à une perquisition effectuée dans la galerie d'art brésilienne, qui appartenait toujours au réseau de faussaires, que nous avons pu rassembler, au cours des dernières semaines, les principales données de cette enquête.

Merci à chacun de sa collaboration.

Capitaine Melville, de la Sûreté du Québec

— Je n'en reviens pas, balbutia Félix, incrédule.

Léo resta muet. Il pensait à la série d'événements survenus au cours des dernières semaines. Sans Diane, qui les avait emmenés visiter l'exposition sur les sciences de la nature, sans le concours organisé par le musée, sans la sixième énigme sur le *Pie di marmo*, qui avait exigé des recherches poussées, son frère et lui ne se seraient jamais intéressés à L'orteil de Paros. Leur volonté de connaître les dessous de cette étrange affaire avait permis de découvrir qu'un faux se cachait dans une demeure écossaise !

Au fur et à mesure de leur lecture du message du capitaine Melville, Félix et Léo s'étaient blottis au creux du canapé, comme des bêtes traquées.

— Je n'en reviens pas ! répéta Félix.

— *L'orteil de Paros*, qu'on a toujours pris pour une sculpture antique, était un faux ! s'exclama Léo en sortant de son mutisme. Tout était faux : le marbre, le modelage, le certificat !

— Et c'est le pied en marbre de l'exposition qui était le plus authentique !

— C'était le plus vrai des deux faux ! lança Léo.

Ils éclatèrent de rire. Il y avait près d'un mois que cette affaire occupait leur esprit, et son dénouement avait de quoi les remuer.

— Les voleurs brésiliens ont réalisé une copie de *L'orteil de Paros* en croyant que c'était une antiquité grecque, poursuivit Félix. C'est trop drôle ! Ils sont aussi nuls que nous pour reconnaître un original !

— Sans compter Interpol, qui a mené des enquêtes pour retrouver un faux machin et le redonner aux Écossais.

— Tu as raison, dit Félix. Te rends-tu compte que, si le site policier avait été à jour, le pied serait encore exposé au musée ?

— C'est vrai !

— C'est complètement débile !

— Notre thèse tombe à l'eau...

— Tu sais, à ce propos, osa Félix, notre idée est toujours bonne. *Fragment de statue en marbre de Paros* pourrait très bien être le morceau d'une Aphrodite de Paros qui n'aurait jamais été retrouvée et qui serait semblable à la Vénus de Milo.

— Fiche-moi la paix avec tes idées, je ne veux plus rien savoir de cette affaire ! s'exclama Léo, hilare. Et je ne veux plus avoir à me préoccuper de la raie des fesses des statues !

L'histoire ne le dit pas, mais les Valois gagnèrent le concours *Vive l'Italie! avec les marbres de l'Antiquité*. L'enquête de Félix et de Léo, qui leur avait permis d'effectuer des recherches passionnantes sur le marbre et de pénétrer l'univers des faussaires, les mènerait bientôt sur la terre natale de Michel-Ange.

Ce que Félix et Léo ignoraient, c'est que, après avoir reçu leur message, Stéphane Gagnon et Lise Roth transmirent leurs conclusions à leurs chefs. Ceux-ci décidèrent d'en parler à un expert français... si bien que *Fragment de statue en marbre de Paros* fut envoyé par colis spécial à Paris afin de subir des tests au laboratoire de recherche scientifique du Grand Louvre. Il devait être comparé à la Vénus ramenée, en ces mêmes lieux, par le vicomte de Marcellus en 1820.

D'une surface de cinq mille mètres carrés, les bureaux souterrains du laboratoire du Grand Louvre, installé sur trois étages, avaient coûté cinquante millions de dollars. C'est là que des dizaines de chercheurs en blouse blanche s'affairaient à examiner des œuvres d'art à la loupe... ou plutôt à l'aide d'Aglaé, l'unique accélérateur de particules du monde exclusivement dédié à la recherche sur les œuvres d'art et d'archéologie.

La liste d'attente était longue. Des tableaux attribués à Léonard de Vinci, à Vermeer, à Rembrandt, à Monet, à Picasso et à Gauguin, une gravure du Moyen Âge, un vase chinois, et des sculptures imputées à Michel-Ange, à Rodin et à Giacometti espéraient leur tour. Nul ne pouvait savoir quand *L'orteil de Paros*, ou plutôt *Fragment de statue en marbre de Paros,* livrerait ses aveux, lui qui se trouvait maintenant à quelques marches seulement de la Dame de Beauté, resplendissante sur son socle.

Ce roman est une fiction. Les personnages, l'intrigue, les instituts de recherche, les revues et la documentation sont pure invention.

Cependant, la Vénus de Milo et *Danseuses de Delphes*, et la technique des pièces rapportées, existent bel et bien. Les hypothèses sur le mystère du geste d'Aphrodite sont authentiques (excepté celle de Werner, inventée de toutes pièces, si j'ose dire). Marie-Louis-Jean-André-Charles de Martin du Tyrac Marcellus, vicomte de Marcellus (1799-1849), est effectivement le diplomate qui a été chargé de ramener la Vénus de Milo à Paris, l'année de sa découverte, en 1820, dans des circonstances encore nébuleuses.

La description des différents marbres — pour laquelle j'ai utilisé les livres de référence de Jacques Dubarry de Lassale, *Utilisation des marbres*, Édition H. Vial, 2005, et *Identification des marbres*, Édition H. Vial, 2001 — et la réponse aux six énigmes du concours renvoient à des données authentiques.

Selon Interpol, le vol d'œuvres d'art occupe la quatrième position du classement des entreprises criminelles, derrière le trafic de drogue, le trafic d'armes et le blanchiment d'argent. Il semblerait que le marché de la contrefaçon ne se soit jamais aussi bien porté qu'aujourd'hui. En août 2009, la police allemande a saisi un millier de fausses sculptures d'Alberto Giacometti, qu'un réseau d'escrocs tentait de vendre dix millions d'euros la pièce. De nouvelles expertises scientifiques viennent de révéler que le célèbre buste de la reine égyptienne Néfertiti, vieux de trois mille quatre cents ans et trésor des collections antiques du Neues Museum de Berlin, ne serait qu'un moulage datant du début du XXe siècle.

• • • • • • • • • • • • • • • • PROCHAINE ÉNIGME

Au cours de leur prochaine enquête, qui les mènera au cœur des Rocheuses, les frères Valois apprendront que tout ce qui brille n'est pas or, ou presque...

Achevé d'imprimer en mars 2011
sur les presses de l'imprimerie Gauvin,
Gatineau, Québec